" çünkü insana
en çok kitap yakışıyor
ve mürekkebin
kuruduğu yerde
kan akıyor! „

carpe diem kitap
carpediemkitap.com

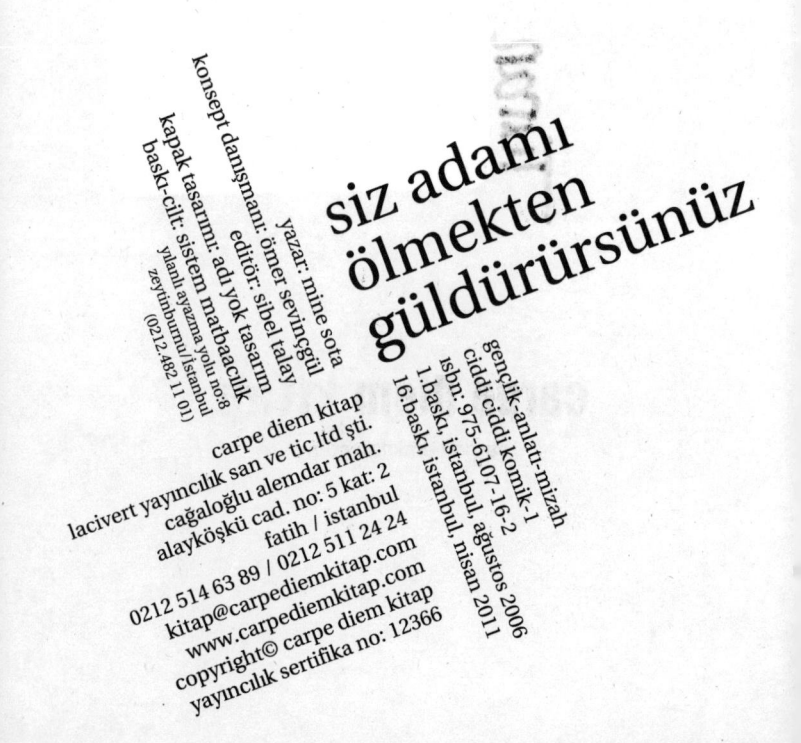

siz adamı ölmekten güldürürsünüz

yazar: mine sota
konsept danışmanı: ömer sevinçgül
editör: sibel talay
kapak tasarımı: adı yok tasarım
baskı-cilt: sistem matbaacılık
yılanlı ayazma yolu no:8
zeytinburnu/istanbul
(0212.482 11 01)

gençlik-anlatı-mizah
ciddi ciddi komik-1
isbn: 975-6107-16-2
1.baskı, istanbul, ağustos 2006
16.baskı, istanbul, nisan 2011

carpe diem kitap
lacivert yayıncılık san ve tic ltd şti.
cağaloğlu alemdar mah.
alayköşkü cad. no: 5 kat: 2
fatih / istanbul
0212 514 63 89 / 0212 511 24 24
kitap@carpediemkitap.com
www.carpediemkitap.com
copyright© carpe diem kitap
yayıncılık sertifika no: 12366

mine sota

siz adamı ölmekten güldürürsünüz

mine sota

1972'de dünyada doğdu. saklambaç oynadı, okula gitti, otobüs kuyruğunda sıra bekledi, türk filmleri izledi, gazetenin verdiği ansiklopedilerden almak için kupon biriktirdi…
kendini bildi bileli yazar olmak istedi. tabi kast ettiği "gönül yazar" değildi. ilk yazı çalışmaları, evdeki duvarlara keçeli kalemle serbest yazım şeklinde başladı. sonra kağıda geçti. bilgisayar virüsünün insanlara bulaşmadığına ikna olunca yazmaya bilgisayarda devam etti. çeşitli dergilerden okurlarına seslendi. yazmaya devam ediyor…

içindekiler

salik sa bina... / 9
baş yemeği tarifleri..! / 14
sakın danışma!.. / 18
okulun mu var derdin var... / 24
rüya tamircisi / 31
türkçe bize xl..! / 36
türkçe bize yine xl.. / 40
ismi lâzım değil... / 45
yeni öğğğretim yılı!.. / 51
freddy'nin faturaları...! / 58
elma olmasın apple olsun! / 62
niyetçi geldi hanım / 66
uyanık dedikoducular / 70
deprem dalgası! / 74
kırmızı idealli kız... / 78
çer-çöp..! / 82
ölüm'cek adam / 87
şarkılarımız markılarımız... / 91
hayır ferid! sandığın gibi değil..! / 95
sinekli hipermarket / 103
iftara girder iken! / 109
karne... / 113
komp "1" ozisyon..! / 118
ab, abc... / 122
abukat..! / 126
içbank reklâmı / 130
elektrikler gitmesin... / 134
iyi ki doğdun mamudo gurban! / 138
dikkat!!! yardım... / 142
gene "gen"... / 149
telef-on... / 152
veda mektubu / 156
yaz'ı yazmak... / 161

salik sa bina...

Salik Sa Bina, yemek yerken ağızdan çıkan bir çeşit ses değil. Tercüme edildiğinde "Sayın Lordum! Bir gün, gün batımından Conan isimli bir savaşçı çıkacak." gibi mitolojik bir söz de değil. Kimyada keşfedilen yeni bir elementin adı hiç değil. Soya sosu ve meyan köküyle yapılan garip bir yemeğin adı kesinlikle değil. İçinde geçen sa, Sabancı'nın şirketlerinden biri olduğunun alâmeti katiyen değil. Uykuda sayıklanan abuk sabuk cümlelerden biri asla değil. Kısacası hiçbir şeyce değil.

Bu, tahrip edilirken intihar süsü verilmiş "cinaî cümle" üç katlı, cırtlak kırmızı boyalı bir binanın kör cephesinde yazıyordu. Bu bina çocukluğuma postu atmış en ünlü hatıralarımdan biridir. Yapıldığı günden beri pencerelerinden bir kez bile sofra bezi ya da çarşaf silkelenmemiş, içinden kavga sesleri gelip camından sokağa terlik fırlatılmamış, çevresine hiç yemek kokuları yaymamış, kısacası hiçbir hayat belirtisi göstermemişti. Bu bina, bir mahalle ötemizde, kel bir arsanın üzerinde EX hâlinde durmaktaydı.

Bakıldığında size herhangi bir duyguya ait hiçbir şey anlatamayan bu kekeme binanın aynı İnka'ların tapınakları gibi ne amaçla inşa edildiğini hâlâ bir türlü çözemiyorum. Gece olup da tüm evlerin ışıkları bir bir yandığında, bizim gizemli Salik Sa Bina, sanki kaşlarını çatıp bağdaş kurup oturur, daha da bir karanlık görünürdü. Korkuyla tütsülenmiş hüzünlü şeyler hissetmeme neden olurdu.

Binayla ilgili olarak mahalle teyzeleri arasında yayılan rivayetler, eminim Stephan King'nin bile aklına gelmemiştir.

"Kız Fikriye, dün gece uyku tutmadı, balkona çıktım. O binanın içinde kırmızı bi ışık dolanıyodu. Sanki benim gözetlediğimi anladı. Sen üstüme biir dikildi! Her yanım kıpkırmızı oldu. İçeri kaçmaya yetiştiremedim." veya "O binanın sahibi, karısını döve döve öldürmüş, binanın içine gömmüş. Bu yüzden ne satabiliyo ne de oturabiliyomuş. Foyası meydana çıkacak diye ortalıklarda da görünmüyor."

Bu senaryolar içinde en çok başrole oturttukları şahsiyet, mahallemizin sakinlerinden Melaam Teyze'ydi. Sakinlerinden dedim ama pek de sakin biri değildi kendisi. Kadın, yaşına rağmen muazzam hızlı koşar, daha doğrusu acayip kovalardı. Müthiş bir manevra kabiliyetine sahipti. Bahçesine kaçan toplarımızı pala gibi kurbanlık Bursa bıçağıyla hiç acımadan keserek infaz eder, "Kör olasıcalaar!" diye hayır dualarını esirgemeyerek(!) olanca gücüyle ayaklarımızın dibine fırlatırdı. Biz de Melaam Teyze'nin bu hobisi yüzünden koşarak Bakkal Bahattin Amca'ya gider, kısa ömürlü yeni toplar alıp kendisini köşe ederdik. Aslında kadının adı Meliha'ydı. Fakat bu talihsiz isim zamanla mitoz bölünmeye uğrayıp "Meliha, Meliya, Melia ve Melaa" safhalarını geçirerek bu hâle gelmişti. Melaa'nın sonundaki "m" harfi ise hanım'ın bu safhalardan arta kalanıydı. Mahalleli Melaam Teyze'ye gıcık olurdu. Onunla iyi olmak mümkün değildi. Gerçek bir cadıydı o. Herkesin yangında ilk kurtarılmayacaklar listesindeydi. Hangi açıdan bakarsanız bakın deli bir kadındı işte.

"Ayy Fikriyaanım gördüm onu! Geceyarısı 'o!' evin çatısında gördüm. Sen bizim çatlak Melaa kollarını iki yana açıp kuş gibi pırrr diye uçtu. Çorapları da ayaklarının ucundan aşşaa sallanıyodu. Bi de öttü. Aynı kaz gibi."

"Kız duydunuz mu? Bizim Melaa geceleri iyi saatte olsunlarla 'o!' binada toplanıp büyü yapıyomuş. Bizim ufak kız geçenlerde onu pazarda görmüş, ayakları tersmiş."

Bina hakkındaki tek bilgi, mahallelinin yazar ekibi(!) tarafından söylenildiği gibi yerden bitmediği, sahibinin oldukça yaşlı bir adam olduğuydu. Vee günlerden bir gün duvarında siyah yağlı boya ile yazılmış o yazıyı gördük. SALİK SA BİNA! Eheeeyy! Artık mahalleli hayal gücünün doruğuna ulaştı. Neydi bu? Yenilir mi, içilir mi, duyulur mu, koklanılır mı, hissedilir miydi? Ben, arkadaşlarım Zeynep ve Nadir bu Salik Sa Bina'nın bir büyü sözü ya da karanlık dünyalara açılan bir kapının anahtarı olmadığını biliyorduk. Aslında bunu bütün mahalleli de pekâlâ biliyordu. Ama ıspanaklı börek günlerinde konuşulacak ateşli bir konuya ihtiyaç vardı. Ayrıca konunun tılsımlı olması için de sapık bir inanışa ait olması gerekiyordu.

Bir gün okul dönüşü arkadaşlarla mahallenin trans alanından çıkıp, kafamızı tüm o öcü hikâyelerinden soyutladık ve o gizemli Salik Sa Bina'yı deşifre ettik. Meğer bu bizim gizemli Salik Sa Bina gizemsizmiş. Meğer bu ünlü Salik Sa Bina'nın Türkçesi "SAHİBİNDEN SATILIK BİNA"ymış. Bu muhteşem tespiti mahalleliye yaydık. Tabi bütün gizem anında fos oldu. Tek bir sır kalmıştı. Bu yazı neden böyle gürültüde duyulmuş gibi yazılmıştı? Bunu yazan kişinin dünyadan hiç mi haberi yoktu? Biraz meraktan biraz da alay etmek için yazının altındaki (şükürler olsun ki az da olsa rakama benzer şekillerde yazılmıştı) telefon numarasını aradık. Biz numaraları büyük ihtimalle Uruguay çıkacak diye çevirmiştik ama karşımıza Türkçe konuşan orta yaşlı bir bayan sesi çıktı. Ben bastırılmış bir kikirdemeyle "Alo! Biz Salik Sa Bina için aramıştık." dedim. Telefondaki ses "Neyi neyi?" dedi. Ben "Salik Sa Bina, Salik Sa Bina." dedim ve koyuverdim kahkahayı. Kadından gelen ses: "Aşk olsun! Niye alay ediyosunuz ki? Onu yetmiş yaşında adam yazdı, utanmazlar! Çattt! Dııtt, dııtt." Böylece bu korku filmi de "The End" oldu.

Bu talihsiz binanın başına gelenler bununla da kalmadı. Yapıldığı günden beri hiç kimse tarafından oturulmadığı gibi yıllarca Salik'inden Sa Bina'lanamadı. Ömrü boyunca müşteri bekledi durdu. Etrafında sinek bile uçmadı. Yanlış bir adrese dahi konu olmadı. En sonunda 17 Ağustos depreminde fena halde hırpalanan bu binanın, Salik Sa Bina'nın yazılı olduğu duvarının çatlayıp sıvasınının dökülmesi üzerine, sadece Sa Bina'sı kaldı. Nihayet Bayındırlık Bakanlığı tarafından ağır hasar raporu verilip enkaz masası tarafından yıkıldı gitti. Yani Salik Sa Bina, kimseciklere yâr olmadı.

Yaklaşık bir yıl önce Salık Sa Bina'nın arsasının üzerine küçük bir market kuruldu. Ön vitrin camında aynen şöyle yazıyor: "KOSTEKODI OLINIR" Türkçesi; "GAZETE KÂĞIDI ALINIR"

baş yemeği tarifleri..!

Baş (kelle) yemek, öteden beri insanoğlunun en eski damak zevklerinden biri ve dünya sofrasının vazgeçilemeyen bir lezzet alışkanlığıdır. Kalorisi çok yüksek olduğundan, baş yemeği sevenler semirmelerinden belli olur.

Her devirde bol miktarda bulunan, en basit malzemelerle yapılabilen bu çok besleyici yemek çeşidine birkaç örnek verelim.

Acılı Vatandaş Başı Ezme
Malzemeler: 1 adet orta boy vatandaş başı, 5 adet irili ufaklı çocuk, 1 adet bezgin eş, 1 adet

tam yağlı patron, 1 gıdımcık para, 1 adet ev sahibi, birkaç adet kredi kartı borcu, bolca fatura ve aldığı kadar vergi.

Hazırlanışı: Önce iş, ev ve araba vaadiyle, 1 adet orta boy vatandaşın oyu alınır. Oyu alınan vatandaşın daha sonra varı yoğu bir güzel soyularak kalbi ince ince kıyılır. Ardından zamlarla iyice haşlanıp, morali liğme liğme edilir ve akşamdan gözyaşıyla ıslatılarak bir kenara konulur. Okula yazdırılmış 5 adet çocuk, okul masrafları ödenemediği için bir yanda ağlayadururken, 1 adet bezgin eş, harlı ateşte için için kaynamaya bırakılır. Daha sonra haşlanmış vatandaş, ağlayan çocuklar ve iyice kaynamış eş bir evde karıştırılır. 1 adet patron tarafından kevgirden geçirilip posası çıkarılan vatandaş, 1 adet ev sahibi tarafından bir güzel fırçalandıktan sonra, üzerine bolca fatura eklenir ve aldığı kadar vergiyle ezilir. Ardından diri durması için, üzerine bir gıdımcık para ilâve edilir ve dibi tutmasın diye beyni sürekli verilen vaatlerle karıştırılır. Paralar suyunu iyice çekene kadar vaatlerle karıştırılan vatandaş başı, ilâve edilen zamlarla bir güzel kavrulduktan sonra, kredi kartı borçlarıyla harmanlanır. Tuzu, biberi eklenir ve ev sahibi tarafından kaptan çıkarılarak yol ortasında soğumaya bırakılır. Yenmeye hazır hâle gelen vatandaş başı, yanında ezilmiş çocuklar ve sinirleri didik didik edilmiş bir adet eşle süslenerek servis yapılır.

Ülke Başı Kapama

Malzemeler: 1 adet az gelişmiş ülke, 1 tepeleme kâse yağ, bol miktarda yabancı sermaye, envaî çeşit televizyon dizisi, bol miktarda provokasyon, birkaç skandal, 1 tutam asparagas haber, 1 baraj su, 1 adet yabancı dil, 1 yığın hamburger, 1 kasa kola, aldığı kadar dış borç, 1 adet Bush.

Hazırlanışı: Tam olmamışlarından 1 adet ülke alınır ve çok önceden 1 adet Bush da katılmış bolca yağla iyice yağlanır. Daha sonra bol miktarda şerbet hazırlanıp nabzına göre azar azar verilir. Şerbeti yiyince salınan ülkenin yerkabuğu kolayca kaldırılır ve yeraltı kaynakları yavaş yavaş soyularak, ince ince dilimlenir. Ardından kısık ateşe oturtulur ve yabancı sermaye yavaş yavaş ilâve edilip, milli piyasaya karıştırılır. Daha sonra süzgeçten geçirilerek, kalan iç sermaye ayıklanır. Süzülen iç sermaye bir kaba konularak içine aldığı kadar dış borç eklenir ve ateş arttırılır. Dış borcun tadı çok ağır olduğundan, ülkenin tadını bozduğu fark edilmesin diye, borçlanmış ülkenin içine, daha önceden ince ince çekilmiş televizyon dizileri, yabancı dil, kola ve hamburger azar azar katılarak çırpılır ve eklenmiş dış borç ülke içinde iyice bir kaynatılır. Sonra ülke diri kalmasın diye bir baraj suya birkaç skandal ve asparagas haber katılarak çalkalanır ve koyulaşmaya başlamış ülkeye ilâve edilerek, gündem iyice bir sulandırılır. Daha sonra yine süzgeçten süzülür ve ülke içindeki vatan aşkı, ana dil, iman ve türküler ayıklanır. Son olarak bol miktarda provokasyon ilâve edilip ateş biraz daha arttırılır. Artık tüm milli şuur ve sermayeden ayıklanmış ve yenmeye hazır hâle gelmiş ülke, bir iki taşım daha kaynamaya bırakılarak kapağı kapatılır. Sonra ülke kazayla(!) ocakta unutulur ve tam taşmak üzereyken yetişip bir güzel kurtarılır. Arzuya göre çifte kavrulmuş vatandaş başı ve kolayla servis yapılır. Hepinize zafiyet olsun.

sakın danışma!...

– Pardon bir şey sorabilir miyim?
– Yan masa...
– Hanfendi, yan masa sizsiniz. İşaret ettiğiniz yerdeki bayan, yan masa diye sizi gösterdi. Yani kısacası topu size attı.
– Sıranızı bekleyin o halde.
– Sıramı bekliyorum zaten, başkasının sırasını bekleyecek hâlim yok ya. Ayrıca başınızı kaldırıp o sevecen, insan sevgisi fışkıran, merhamet dolu(!) gözlerinizle yüzüme bir bakarsanız, yaklaşık ikinci Ramses zamanından beri sıranın bende olduğunu göreceksiniz.

– İyi o zaman, derdiniz neyse söyleyin bayan.

– Derdim, bayken birdenbire tarafınızdan bayan oluvermek. Az bir şey lütfedip suratıma bakarsanız, erkek olduğumu mutlaka fark edeceksiniz.

– İyi iyi, söyle.

– Aşk bu mu?.. Dirinim... Sevda bu mu?.. Dirinim... Hayaaat bu muuu?

– Kardeş iyi misin sen?!

– Oohh! Şükürler olsun. Nihayet o paha biçilmez dikkatinizi çekmeyi başarabildim.

– Kardeşim ne istiyorsun?

– Ayda iki milyar maaş, dubleks bir ev, güzel bir eş ve S300 model bir Mercedes. Ekmeğim elden, suyum ise gölden olsun istiyorum. Evet evet, bunu istiyorum.

– Yani hayretsiniz ha. Sırada bir sürü insan var, derdiniz neyse söyleyin. Oyalamayın beni canım aaa.

– Haa, af edersiniz çay ve sigarayla aranıza girdim galiba. Ha bir de haroşa hırka vardı di mi? Bi ters bi düz, bi ters bi düz... Derdime gelince aslında bu bir dert değil, basit, küçücük bir soruydu. Lâkin sayenizde dert hâline geldi. Aslında biz bugün sizinle birkaç kez karşılaştık. Daha doğrusu ben sizinle karşılaştım. Siz daha henüz benimle karşılaşmadınız. Sabahleyin danışmadaki makamınıza(!) geldim. Tam yardım isteyecektim ki bu durum size garip bir şekilde malum oldu ve suratıma bile bakmadan başparmağınızı havaya dikip "ikinci lololop" yaptınız. Tercüme edemedim tabii. Fakat işaret ettiğiniz kata doğru çıktım ve oradaki gevşekdaşınızın başparmağı tarafından size yollandım. Sonra siz tekrar parmağınızı havaya diktiniz. Ben de tekrar yukarıdaki parmağa çıktım. O parmak da beni tekrar sizin parmağınıza yolladı. Ben yukarı aşağı, yukarı aşağı çizgi film gibi koşturduktan sonra sizin parmağınızda karar kıldım. Az önce yan tarafı işaret edince, yan katı kastettiğinizi zannedip korktum. Çünkü normal olarak yan kat diye bir şey yok. Söz konusu yerde apartman boşluğu var. Az kaldı oraya atlayarak teklifinizi değerlendirecektim fakat ne çeşit bir organizma olduğunuzu merak edip vazgeçtim. Şimdi de huzurlarınızdayım.

– Ayyy, çeneye bak ya. Konuya girin beyefendi, sorununuz ne?

– Hazır tenezzül etmişken değerlendirip hemen konuya giriyorum. Annemin sağlık karnesinin vizesini nasıl yenileteblirim? Ya da şöyle sorayım, ben şimdi ne halt edeceğim?

– Vukuatlı nüfus örneği ve kitapçık... Aldınız di mi kitapçığı?

– Kitapçığı değil kitapçıyı bile aldım. Beş lirayı da verdim. Ama hâlâ ne işe yaradığını bilmiyorum. Her katta bi tane tutuşturdular elime.

– Üzerinde sosyal güvenlik numaranız yazıyor, onu istiyoruz.

– Haa, gerçekten de beş liraya değer bir bilgiymiş. Şiiişşt! Çok gizli. E be bayan gökten inmedi ya bu kitapçık? Bunları siz bastırdınız. Bu numaraları bize vermeden alamıyo musunuz? Defterde kayıtlı olduğumuz yerin yanına direk yazıverin olsun bitsin. Benim beş liramdan ne istediniz? Ama bu numara işi iyi numara haa. Herkesten beş lira, sizi sizii!

– Bilmiyorum bak, eğer almadıysanız siz zararlı çıkarsınız. Şimdi beş lira vermiyim diye ilerde yirmi lira verirsiniz.

– Bayan ne kadar da az kötüsünüz. Veremle kanser arasında seçim yapmama yardımcı olduğunuz için sağ olun. Olsun bayan olsun. Biz icabında delikanlı gibi yirmi lirayı da veririz. Biz yirmilikle sigaramızı tutuşturuyoruz zaten, yani öyle bol...

– Kitapçığın içindeki şıkları bir muhasebeciye doldurtun. Yanlış olursa beş lira daha verirsin.

– Ay ne değerli kitapmış be. Şuraya bak, güvenlik numaramız bile bizden daha güvenlikte. Bence sizin yanlışınız var bayan. Bu canına yandığımın kitapçığı sosyal güvenlik numarası kitabı olamaz. Yaa bu ne özen? Şimdi özel ilgi de istiyodur bu sayın kitapçık. Eve gidince kokulu kapla kaplayıp, köşelerine de kıskaç takayım bari.

– Sakın köşelerini kırıştırma, beş lira daha verirsin.

– Bayan, siz danışma mısınız yoksa kitapçık kullanma kılavuzu mu? Annemin sağlık karnesinin vizesi n'olcak heeeyy?

– Vukuatlı nüfus örneğiyle kitapçığı verin bana.

– Aman alın yaa, alın. Alın da bitsin şu işkence. Ne Hint kumaşı kitapmış be. Şimdi buruşturup atıcam şunu haa.

– Bükme kitapçığı, beş lira daha verirsin.

– Ben sizi büksem nasıl olur?

– Ne kızıyosun beyfendi? Her önüne gelen bana soru soruyo yaa. Ne bu bee? Doydum canıma artık, yeter be yeteeer.

– A a! İnan olsun fıkra gibisiniz bayan. Tepenizin üstünde danışma yazıyo, bu sizin işiniz. Herhalde size sorulucak. Maaşınızı bana verin, bana sorulsun.

– Az bekle.

– Nereye gidiyosunuz?

– Tuvalete gitmek için de sizden izin alacak değilim herhalde. Sonuçta insanız değil mi?

– Eee akşama kadar çay içerseniz olacağı bu tabii. Tamam artık, siz tuvaletten çıkana kadar yeni bir kanun daha çıkar. Haydee yeni bir kitapçık daha. Peki, ben n'apıcam şimdi? Bizim karne kitapçıkla tuvalet arasında bir yerlerde kaynadı gitti.

– Köşedeki arkadaşa sorun.

– Bayan, hiç olmazsa görün. İşaret ettiğiniz yerde süpürge var. Arkadaşınız ya harika süpürge taklidi yapıyo ya da burda maaşla süpürge çalıştırılıyo. Akıl vermek gibi olmasın ama bu katta sizin dışınızda yaşayan tek bayan, yanınızdaki masada oturuyo ve o da dantel örneği çıkarıyo. Önce ona gittim. "Şaşırttın beni bee!" diyerek size sepetledi. Bi daha nasıl gideyim! Ya örnek yanlış olursa? Yer beni, inan olsun.

– Bana mı diyosun? Kardeşim, derdini söylemedin ki. Gelip örneğin önüne geçtin ondan şeettim, dur geliyim.

– Siz oturun bayan, sakın kalkmayın. Amman kalkmayın ki yumurtalarınız soğumasın. Ben yavaş yavaş, kimsecikleri rahatsız etmeden ölebilirim burda. Hayır, müdürünüze şikâyet edicem ama o da boncuk diziyodur şimdi. Şuraya bak yaa, sanki el sanatları kursu.

– Tamam beyefendi, uzatmayın bi şeyi. Biraz bekleyin, ben bir tuvalete gidip geleyim bakıcam size. Siz gidin kitapçık alın gelin.

– Siz tek yumurta ikizisiniz galiba. Ya da birbirinizden klonlamışlar sizi. Ama bu kadarı da yeter artık haa. Teker teker gelin kopya kardeşler. Caartttt! Hehh, alın size kitapçık, alın. Hem de bir sürü.

– A a! N'aptınız?

– Ne sihirdir ne keramet, el çabukluğu marifet. Bence burda bir danışma daha kurulsun. Sizin danışmanıza danışmak için önce ona danışalım!

okulun mu var, derdin var...

– Ragıp çocuğumuza önlük alıcak mıyız? Yoksa almışız gibi yapıp, bir örnek giyinmiş o kadar çocuğun içine öz evlâdımızı ördekli pijamalarıyla yollayıp üzüntüsünden kekeme mi edicez?
– Soldan sağa üç. Kanser yapıcı bir madde...
– Cevap veriyorum, "Ragıp". Ya okul açılacak, sen hâlâ bulmaca peşindesin ya. Ne defter var ortada ne kitap ne önlük. Okula gideceğine dair en ufak bir belirti yok çocuğun üzerinde. Daha bir tek kurşun kalemi yok çocuğun. Al bari bi tablet

bi de çivi, hiç olmazsa çaka çaka öyle yazsın, öyle öğrensin okumayı yazmayı yavrum.

– Yukardan aşağı iki. İlkçağa ait bir sürüngen... Neydi bu ya, dinolu bi şeydi.

– Dinolu bi şey değildi o, Ragıplı bi şeydi. Ya bana görünmezmişim gibi davranma bak Ragıp. Bu benim olduğu kadar senin de çocuğun. Neden bir tek beni derdi tutuyo söyler misin bana? Ben sana sorumluluklarını hatırlatmaktan sorumlu devlet bakanı mıyım Ragıp? Eğer öyleyse yapalım bi darbe, düşsün bu hükümet.

– Sağdan solaaa beşş. Boksta bir yumruk çeşidi...

– Sıkıştın köşeye tabi di mi, hemen şiddetengiz hâller. Soldan sağa, baştan aşşaa, güneyden kuzeye dokuz. Onca yıldır bir günden bir güne sorumluluğunu bilmeyen, koca ve baba taklidi yapan, ömrümün törpüsü, sinirlerimin mahvedicisi, bulmaca bağımlısı organizma. Cevap veriyorum, Ragıp. Yaz yaz.

– Keriman sen artık susacak mısın yoksa seni vurmam mı gerekecek?

– Vur. Eğer o çocuk okul sabahı önlük yerine o ördekli pijamalarla kapıda beklerse, "Anne çantam nerde?" dediğinde eline market poşetini verirsem asıl o zaman ben seni vurucam. Bak bırak o bulmacayı diyorum sana. Hadi önlükten de vazgeçtim. Daha okul yok ortada ya. Nereye gidecek bu çocuk? Öyle sabah çıkıp, gördüğü ilkokula dalıp sıraya mı oturacak? Her gün sırasını boş bulduğu başka bir okula gider artık. Öyle seyyar, ferah bir öğrenci olur çocuğumuz. Boş okul bulamayınca da "Anne bugün okul bulamadım." diye döner eve gelir. Kalk dedim, bulalım bi okul da yazdıralım şu çocuğu hadi.

– Ya ne diyosun sen iki saattir vır vır vır ya. İki satır bulmaca çözdürmedin şurda be. Tutturmuş bi okul da okul. Gider acelesi yok. Dur şimdi param yok benim. Olsun hele yazdıracaz. Hâlden anla biraz.

– Okula gitmesi için senin paranın olmasını beklersek biz bu çocuğu kırk yaşında anca ilkokula yazdırırız Ragıp. Saçmalama diycem ama bu mümkün değil. Sadece okul olsa neyse... Daha servis ayarlanacak. Nasıl gidip gelecek minnacık çocuk o kadar yolu he?

– Ya ne servisi ya! Sırf özentisin sen ha. O saçaklı komşuları servisle yolluyo ya illâ bu da kusur kalmayacak. O kadar çocuk köylerde tee üç günlük yolu yayan yürüyo bu ne konuşuyo ya.

– O çocuklar köyde yaşadıkları için tee o kadar yolu yayan gitmiyolar Ragıp mantıksızı. İmkânsızlıktan tepiyolar o yolları. Servisleri var da binmeyip eskort gibi yanında mı yürüyolar. Verdiği örneğe bak ya. Çocuğumuz daha altı yaşında, birinci sınıfa başlayacak. Çocuk sabah ibibikler ötmeden çıkıp yürümeye başlasa, okula üçüncü sınıfta anca varır be. Ne servisiymiş! İstersen bi at **alalım**, çocuğun tepesine de bi tüy takalım öyle Kızılderili Yakari gibi gitsin gelsin okula. Ya da istersen okulla evin arasına sarmaşıklar ekeyim. Zavallı yavrum tutunur sarmaşıklara, "Ağığağaaa!!!" diye baara baara Tarzan gibi uçup bedava gider gelir. Hem akşam haberlere de çıkar. Belki bi acıyan macıyan olur da çocuğumun istikbali kurtulur.

– Biz okuduk da n'oldu be. Bak işsiziz işte. Bütün gün akşama kadar oturuyoruz.

– Ah ne ileri görüşlü bir insansın Ragııp. Çocuğunu ilerde işsiz kalmasın, böyle kendisi gibi akşama kadar evde köşe taşı gibi oturmasın diye okula yazdırmayan ileri görüşlü bir babasın sen.

– Tepeden aşşaa üüüç. Karısını doğrayan cinnet getirmiş bir adam. İlk iki harf çıkmış. RA…

– Tamam bak bi ara korkucam söz. Hadi kalk, okullar kapanmadan gidip bi şeyler alır gibi yap bari.

***

– Kaça bu kurşun kalem?
– İki lira beyefendi.
– Ne?? İki lira mı? Yuh. Yahu alt tarafı odun bu be… Kutusuyla iki lira di mi, ben yanlış anladım?
– Hayır beyefendi ormanıyla iki lira. Odun dediniz ya, o bakımdan.
– Ragıp alacaksan al, almayacaksan o engin malî görüşlerini evde sarf et. Rezil olduk ya rezil.
– Kess! Bi kaleme iki lira diyo ya, baksana adama.
– Fiyatı oysa adam senin olmayan hatırın için bedavaya mı verecek? Alıyosan al, almıyosan bari sus.
– Defter kaça?

– Şu hâle bak daha soruşunda meymenet yok. Defter kaçaymış. Yahu bunlar boy boy. Defter şu kadardır diye bir şey yok ki. Ekmek mi bu? Bari metresi kaça diye sor.

– Sen bi amel defterini kontrol et Keriman. Eve gidelim sorucam ben sana. Kardeş, kaç para şu defter, bi de hele.

– Beş lira beyefendi. Şunlar altı, şunlar da sekiz lira.

– Kaç tanesi beş lira o dediğinin? Öyle kolisiyle di mi?

– Hayır beyefendi, kolisiyle değil. Damperli kamyonla kapınızın önüne döküyoruz... Beyefendi siz en son ne zaman para harcadınız? Ta Ömercik, Sezercik zamanında bu paraya bi arsa alınır zihniyetiyle alışveriş yapmaya kalkıştıysanız, bu parayla o döneme gidin çocuğunuza okul bile alırsınız.

– Tabi, o kadar defter kalem senin. Onun için böyle rahat konuşuyosun. Alacak olan sen değilsin tabi.

– Tabi beyefendi, bizim tek ihtiyacımız kalem ve defter nasılsa. Acıkınca ağzımızla kalem açıp yiyoruz, üşüyünce de defter örtünüyoruz. İnanamıyorum ya. Yenganım bol sabırlar diliyorum.

– Uzatma kardeş. Ver ordan bi defter. Şunlardan olsun, bak arkada duruyo. En son ne olur, onu söyle.

– Ragıp o defter zar gibi. İki yaprak ya var ya yok, resmen şeffaf, görünmüyo bile. "En son ne olur?" diyo bi de.

– Sen sus. Pazarlık da mı yapmıycaz. En son kaça olur bu kardeş?

– Bu not defteri beyefendi... Fiyatı da bir lira... En son bedava olur...

– Ha ver o zaman üç beş tane. Önlük kaça? Söylicen fiyata bağlı bak, pahalı dersen yakası kalsın.

– Kefen mi alıyosun çocuğa Ragıp? Yakasız makasız önlük mü olur ya! Nasılsa adı önlük diye al bari bi bulaşık önlüğü, olsun bitsin. Ay ben nerden bir şeyler al dedim sana, ah ben bu hataya nasıl düştüm!

– Bak kardeş, en fazla beş lira veririm önlüğe. İşte sen ona göre hesap et tamam mı? Kurtarıyosa ver.

– Beş liraya sadece tek kolunu veriyoruz beyefendi, olur di mi öyle? Seneye de diğer kolu alırsınız. Öyle beşinci sınıfa kadar önlüğü taksit taksit tamamlarsınız.

– Yok bitti, tamam hadi eve eve eve. Gitmiyo okula mokula. Bak Avustralya'ya, bir tane Aborjin çocuğu okula gidebiliyo mu? N'oluyo peki ha, o şartlarda bile aslanlar gibi yaşıyolar. Onların canı yok mu?

– Sen işine gelince kıtalararası bahane bulursun kendine Ragıp. Te Avustralya'dan ithal teselli getirtirsin kendine. O yabanî Aborjinler demez senin bu dediğini be. Yani nerdeyse, bak Amazonlar'daki pigmelere, değil okula yollamak çocuklarını yiyolar. Biz gene iyiyiz, yatsın kalksın yenmediğine şükretsin diyeceksin. Aklına gelmedi demek ki, yoksa onu da derdin sen.

– Tabi o da var. Dünyada ne çocuklar var. Fazla şımartmaya gerek yok. Gitmiyor okula, bitti.
– Anne okula gitmicem mi ben şimdi?
– Babanda bu engin dünya görüşü varken senin okula gitmen bir Aborjin'in takım elbise giymesinden daha düşük bir ihtimal yavrum. Sende bu baba varken yenmediğine dua et çocuğum.

rüya tamircisi

Sevgili Rivayet Abla... Ben, sabah niyetine hayrolsun, rüyamda bir sokak ortasındayım, kimsesiz bir sokak ortasında. Rüyamda ardıma bakmadan yürüyorum. Yolumun karanlığa saplandığı noktada sanki beni bekleyen bir hayal görüyorum. Sonra kapkara bir gök, kül rengi bulutlarla kaplı... Evlerin bacalarını yıldırımlar kolluyor. Herkes uyuyo tamam mı, yalnız biz iki yoldaş uyanığız. Ben bi de kaldırımlar var. Uyumuyoruz yani. Nasıl sıkıntıyla uyandım anlatamam. Acaba rüyada kaldırım görmek ne demek? İşsiz mi kalacağım?

Rüyada kaldırım görmek önümüzdeki günlerde çilekeş yalnızların annesiyle tanışacağınıza işarettir. Ayrıca daha az şiir okuyup tez elden iş aramaya başlamanız gerektiğine, aksi halde yolunuzun karanlığa saplanan bir noktasında, kül rengi bulutlarla kaplı bir gökyüzü altında işsizlikten hayaller göreceğinize ve uyuklayıp kalacağınıza delâlettir.

...

Merhabalar Rivayet Hanım. Ben bir rüya gördüm. Fakat hatırlamıyorum. Sizce bu rüyanın yorumu nedir?

Rüyada hatırlanmayan rüya görmek, abuk sabuk bir şekilde rüya tabir ettirmeye kalkıp fena halde can sıkmaya ve rüyayı tabir eden kişinin size "Saçmalama!" demesine delâlet eder.

...

Değerli Rivayet Hanım. Ben rüyamda Kuala Lumpur'daymışım. Ve karşıdan ev sahibim geliyor. Ama ev sahibim de Bruce Lee ha. Sonra bana eliyle "gel gel" yapıyor. Ben var gücümle kaçmaya başlıyorum, ama yer ayağımın altında bir halı gibi toplanıyor. Ve anîden önüme Mazhar Fuat Özkan çıkıyor, dördümüz beraber ip atlamaya başlıyoruz. O esnada bir çığlık duyuyorum. Geri dönüp baktığımda ev sahibim Bruce Lee'nin havadan bana doğru uçan tekme atarak geldiğini görüyorum. Sonra kan ter içinde uyanıyorum. Sizce bu rüyanın anlamı nedir?

Rüyada Kuala Lumpur görmek Mazhar Fuat Özkan'ın konserine gideceğinize ve konser sırasında lömbür diye sahneye atlayacağınıza delâlet eder. Rüyada Bruce Lee görmek ise ev sahibinizin size karşı muhabbetinin azamî derecede artacağını(!) ve sevinçten havalara uçacağınızı gösterir! Koştuğunuz yolun halı gibi ayaklarınızın altında toparlanması, ev sahibinizin teşvikiyle(!) pılınızı pırtınızı toplayıp mekân değiştireceğinize işarettir. Var gücünüzle koşmanıza gelince, yatarken daha sıkı örtünmeniz gerektiğine delâlet eder.

...

Sevgili Rivayet Abla. Dün gece rüyamda, hayrolsun, daha önce hiç tanımadığım birini gördüm. Acaba bu hayra alâmet mi? Uyanıkken görmediğim kişiyi rüyamda nasıl görebiliyorum, eğer tanıyorsam rüyamda neden tanımıyorum? Ha önceden tanıyıp da unuttuysam neden şu an tanımadığım biri tutup da rüyama girdi? Madem girdi, neden kendini bana tanıtmadı da kendisini böyle tanımadığımı düşündürtüyor? Bu rüya ne demek oluyor?

Öncelikle bu rüyayı size ben göstertmedim. Çıkışır gibi anlatmanıza hiç mi hiç lüzum yok sayın rüya sahibi. Aslında rüyanız yorumsuzdur ama maksat uykunuz alışsın diye sizin için naçizane bir yorum yapmaya çalışayım. Yatmadan evvel yemek yememenize, illâ ki yiyorsanız bundan böyle daha hafif yemeniz gerektiğine, aksi takdirde abuk sabuk rüyalar göreceğinize delâlet eder.

...

Sayın Rivayet Hanım Abla. Evvelsi gece değil ondan bir önceki gece rüyamda öyle bir rüya gördüm ki uyanmak istemedim. Sabahmış tamam mı, üzerimde smokin evden çıkıyorum ve bahçe kapısından biri bana "Hey Corç! Buraya bak." diye sesleniyor. Adım Hayrettin ve ben, kim bu bana Corç diyen gibisinden hayret şey edip kapıya doğru bakıyorum. Bir de ne göreyim, kapıdaki Bil Geyts. O esnada evin önüne uçuk pembeyle, kaçık mavi renginde bir limuzin yanaşıyor ve düşünebiliyor musunuz kapısını bana Bil Geyts açıyor, şoföre "Şirkete çek!" diyor. Şoför sürmeye başlıyor ve arabanın içine pencereden dolarlar dolmaya başlıyor. Bil, bana bakıp "Maaşını topla, uçmasın. Şimdilik bir milyon dolar yeter sanırım, saymadan alma sen gene de." diyor. İki yanımda bir yağ, bir de bal kâsesi var ve ellerimi onların içine sokuyorum. O sırada havuzlu mavuzlu bir malikânenin önünde duruyoruz. Bil, bana bakıp "Şimdilik bu kulübeyle idare et. Daha sonra Beyaz Saray'a yerleşirsin." diyor. Nasıl mutluyum anlatamam. Limuzinin içinde sevinçten zıplıyorum. Sonra gökdelenlerin arasına giriyoruz ve yukarıdan, helikopterin içinden biri bana sesleniyor. Bir bakıyorum beni terk eden kız arkadaşım Hayriye. Bana el sallayıp, paraşütle atlayarak limuzinin üstüne konuyor ve "Artık ben de seni seviyorum." diyor. O sırada ben sevinçten oynamaya başlıyorum ve Bil Geyts'e bayılıyorum. O da alnıma hisse senedi yapıştırıyor. Nasıl uyanabildim diye hâlâ kendimden nefret ediyorum. Sizce bu rüyanın anlamı nedir Rivayet Abla?

Tüm bunları sadece rüyanızda görebileceğinize delâlet eder. Ayrıca önümüzdeki günlerde acıkmış tavukların darı ambarı motivasyonlarıyla ilgili bir seminere katılacağınıza da işarettir.

türkçe bize x1..!

Radyoyu açıyorum. Frekansları dolaşıyorum. Frekans ayarı yapan kırmızı çizgi vardır ya hani, işte o çizgiyi mahpus bulunduğu dalga boyunda bir o yana bir bu yana, ağır ağır volta attırıyorum. Hiçbir kanalda birkaç saniyeden fazla kalmıyorum. Sürekli dolaşıyorum. Peki, bunu neden yapıyorum? Müzik dinlemek için mi? Hayır. İş olsun diye mi? Hayır. Parmak egzersizi mi? Hayır. Can sıkıntısı mı? Birazcık. Belli bir kanal mı arıyorum? İşim olmaz. Eee, neden peki? Ben bunu sırf kulaklarıma inanamamak için yapıyorum.

DJ'ler arasında 'özne-tümleç-yüklem'i ipleyerek cümleler inşa eden birilerini arıyorum. Fakat eser yok. Bırakın Türkçe'yi Türklükten eser yok. Bırakın Türklüğü hiçbir milletten eser yok. Çoğu kaybolmuş. Duyduğum bir DJ'in ağzıyla diyorum ki "Uçmuş bunlar abi yaa." Sadece ses var. Hihuu, hobaa, yeaahh, yu yuuuu, waaaww, oooow! Ne bu? Sürü mü kovalıyoruz? Sanki akşamüstü meradan sürüyü toparlayıp eve getirmeye çalışıyoruz. Çoğu gerçek kovboylardan bile daha çok kovboy. Kov-kovboy yani.

Cümleler kalıpsız, ileri derecede sıvı, eriyik hâlde. İstediğiniz kalıba koyun asla kalıplaştıramazsınız. Tahminime göre şöyle bir kalıpları olmalı: "Az bi şey tümleç- acayip bir ses- özne gibin bi şey- kap-kaç." Yükleme gelince, akşamdan soru imlâsında ıslatılmış bir adet OKEY. Yani şöyle; DJ bağlantı kurduğu dinleyiciye konuşmaların onayı için soruyor; "Okey?" Karşıdaki de Amerikanca anlamak sevap ya, ayrıcalık ya, kendisiyle gurur duya duya, "Ookey okey." diyor. "Bakınız ben de dedim, bana da demek nasip oldu, yaşasın!" diye hissediyor olmalı.

Sonra lime lime olmuş cümleleri ve ilk çağlara ait olduğu varsayılan perdeli kanatlı dev kuşlarınkine benzeyen sesler çıkaran bazı DJ'lerin camekânlı stüdyolarında, konuşmalarının anlam ve önemiyle ilgili özenti mi özenti hareketlerini hayal etmeye çalışıyorum. Kahroluyorum. Mideme sancı giriyor, vazgeçiyorum.

Tabii ki sözlerim alınanlara. Herhalde programına "Merhabalar efendim. Yine birlikteyiz.

Bugünkü programımıza..." diye başlayabilenlerin alınmasına gerek yok.

Peki, bu dil erozyonu sadece DJ'ler arasında mı yaşanıyor? Tabii ki hayır. Onlar da duydukları ve kıymet verdikleri bu tarzı yansıtıyorlar dinleyiciye. Aslında tam olarak onların da kabahati yok. DJ'ler halkın istediği dili konuşuyor olmalılar ki bu kadar reyting alarak bu tarzı devam ettirebiliyorlar. Yani halk, bu tarzı bu denli benimsemiş olmasa, karşılaştıklarında birbirlerine "N'abersin kahrolası, iyisin ya?" diyemez. Peki halk, ne zamandır benimsedi bu tarzı? Ne zamandır ve neden hoşlanıyor bu çeşit konuşmalardan? Yadırgamamaya nasıl ve ne zaman başladı? İlk kim dokundu yüzyıllardır intizamla dimdik duran o domino taşlarına? İlk ne zaman?

Taşlar müthiş bir süratle yıkılıyor. Herkes birbirini deviriyor. Lisanımızın ifade ettiği tüm değerler birer birer yerle yeksan oluyor. Kimse, çıksın... Kimler yapıyor bunu? Bak, kızmayacağım. Ama ben yakalarsam fena olur. Üzülüyorum, hem de çok... Bu virüs inceden ve sinsice yayılıp, dilimizin tüm hücrelerini bir bir ele geçiriyor ve hemen hemen herkes farkına bile varmadan benimsiyor bu tarzı. "Nasılsınız?"ların yerini, "Her şey yolunda mı moruk?"lar, "Bakar mısınız?"ların yerini "Heeyyy! Buraya bak, lânet olası!"lar, "Lütfen kendinize dikkat ediniz."lerin yerini "Kendine iyi bakıyosun, okey?"ler ve daha nice nice iletişim kılığına bürünmüş iletememişimler alıyor. Fakat heyhat ki bu dil katliamından doğrudan kim suçlu belli değil.

Peki, bu anlam katliamı için ne yapacağız? En azından, dilimize yerleşen bu kelime güveleri için ne çeşit bir naftalin gerekiyor, onu arayacağız. Bulamazsak, ki büyük bir ihtimalle bulamayacağız, o zaman cânım dilimizi, o hüzünlü sanat eseri sandığına kaldıralım. Kullanmak isteyen alsın tertemiz, ütülü ütülü kullansın. Bari ortalıklarda yetim bir çocuk gibi gariban gariban dolaşıp bu salgın hastalıktan etkilenmesin. Yabancı bir dil olarak kalsın. Belki de bir süre sonra okullarda yabancı dil olarak okutulmaya başlanır da, biraz adam yerine konulur. Birileri lisanımızı bir bardak çamurlu suya atmış, leş gibi bir kaşıkla karıştırarak azar azar eritmeye çalışıyor. Ben, "Teşekkür ederim, müteşekkirim."lerin yerini "Tenkülerimi fışkırtırım."ların, "Tamam."ın yerini "Ookey bebek!"lerin almasını istemiyorum.

Tüm inadımla, "Bu çızıktırmamın finişinde herkeşleri bay baylarım milleeet deeeermişim, ortalığı gereeermişim." demeyeceğim. Satırlarıma son verirken hepinize huzur dolu saatler dileyeceğim.

türkçe bize yine xl..!

DJ– Allooo! Eee, büyrüün.

Seyhan– Merabayııın. Seyhan ben. N'aber Tutiş?

DJ – Aaaaaa Suzii, n'abersin kız?

Seyhan– N'olsun, sürünüyoz işte. İstek parça isticektim. (Vay, istek parça istemek!) Şeyi çalsana eeee "öpücem öpücem dedim sana"yı.

DJ– Güzelim sabahtan beri onu çala çala bi hâl olduk be. Başka bi şey iste. Ama önce dur. Sen yabancı diilsin. Hatta bi sazan daha var. (Gülme efekti) Alooooo, yanaşın lütfen. Kimsin bakem? Nerden asl, psl? (Gülme efekti)

X– Ben söylemek istemiyorum.

DJ– (Uzun bir gülme efekti) Waaaavv! Top secret haa! Güseeeel. Eee ne istiyosun, o zaman?

X– Ben biraz söylenmek istiyorum.

DJ– Hadi yaaa. (Gülme efekti) Reyting yani hı? Evet, pekâlâ pekâlâ dostum, nası gidiyo bakalım?

X– Ne nası gidiyor?

DJ– Ha?!

X– Ha ya.

DJ– Yani nasılsınız dostum, afiyettesiniz ya? (Aklı sıra karşısındakiyle dalga geçiyor. Gülme efekti.)

X– "Nası gidiyo?" cümlesini elbette ki hâl ve hatır sormak maksadıyla kurduğunuzu anladım. Ama giden nedir, nasıl nedir bunu anlamış değilim. Yani bu cümleyi neden böyle yangından mal kaçırır gibi kurdunuz, onu anlayamadım. Bu cümleyi kurarkenki niyetiniz çok farklı, ortaya çıkan mana çok farklı. Ben şimdi bu soruya "İyiyim." diye cevap vereceğim anlamsız kaçacak. "Nası gidiyo?", "İyiyim." "Nası gidiyo?" diye sorulmuş bir sorunun cevabı, ancak beşinci vites, tıkır tıkır, tırıs, hızlı veya yavaş olmalı, değil mi ama?

DJ– Hadi yaaa. Öööle diyosun yani. Vay bee hönk oldum.(Gülme efekti)

Seyhan– Hooopss! Unuttun beni Tutiş. O zaman bana Mustafa Sandal çal.

X– Af edersiniz Seyhan Hanım. Size bir şey sorabilir miyim?

Seyhan– Bana Suzi de.

X– Peki Suzi Hanım. Siz şimdi "Bana Mustafa Sandal'a ait bir parça çalar mısın." demek istediniz değil mi?

DJ– (Uzun bir gülme efekti) Korkunç güzel yaaa. Evet, devam et ahbap.

X– Sayın DJ, Seyhan kardeşim, sizden bir adet Mustafa Sandal çalmanızı istedi. Kendisini çalarken lütfen dikkatli olun. En az on beş yıldan başlar. Ardınızda delil bırakmayın, olmaz mı? Biliyorsunuz Mustafa Sandal ünlü bir şahsiyet. Kendisini çalarken yakalanmamaya çalışın lütfen.

DJ– (Gülme efekti) Ayyyy! Manyak komik abi yaa. Lütfen devam edin.

X– Bakın, eğlenmenize sevindim. Lâkin ben buraya size şebeklik yapmaya gelmedim. Amacım bu büyük soruna dikkat çekebilmek.

Seyhan– Bi de beni bozum etmeye gelmiş. Ben "çal" diyim, siz anlayın işte canım. Sanki anlamadın heee. Kısadan gittik işte, ne var bunda yaniciime?

X– İşte böyle kıyısından köşesinden kırpa kırpa kuşa döndü ya zaten Türkçe. Bize ne olduysa azar azar oldu Seyhan Hanım.

Seyhan– Aaaa, n'aptım ben şimdi yaa? Bi de dövün bari be.

X– Suzi Hanım bakın. Transa geçip anîden Osmanlıca konuşmaya başlasanız da bu sorun çözülmez. Hem ben sizi suçlamıyorum ki. Siz de mağdursunuz. Üstelik ben buraya bir şeyleri tamire de gelmedim. Sadece durumu yakından görmeye çalışıyorum.

DJ– (Gülme efekti) Ayyy! Koptum yaaa.

Seyhan– Sizinle aynı dili konuşmuyoz sanırsam.

X– Ne yazık ki evet.

Seyhan– Aslında anladığını biliyorum ama sırf beni uyuz etmek için böle gıcıklık yapıyosun sen, ben biliyom. Neyse anlayan anladı. Sen beni anladın di mi Tutiiiş?

DJ– Evet Suzicim, anladım. Gülüyorum ama harbiden ağlanacak bi durumdayız yani milletçek. Ordan kestirme, burdan kırptırma derken, yani demek istediğim... Eee... Meşgul... Eeee... İşgül... Ne diyom ben ya? Yok keşkül. (Gülme efekti) Neydi ahbap o ya? Nası deniyo sizin dilde? (Gülme efekti)

X– İşgal demek istiyorsunuz zannedersem.

DJ– Heh! Tamam buydu. Harikasın adamım. Evet evet, işgaldi. Aradığım zımbırtı buydu işte. Eeee ne diyoduk? Evet dilimiz, yani Türkçemiz gerçekten acayip bir işgal altında ve bu durum gerçekten eeeeee... Manyak bir eeee... Nedir siz şeydin, nedir oo?.. Eeee... Gıccık bi şey abi yaaa... (Gülme efekti) Anlatabiliyo muyum ahbap?

X– Evet gerçekten, konuşamamanızla sorunu tüm açıklığıyla gözler önüne serdiniz. Anlatmaya çalıştığım bu işte, sorun bu. Biz artık konuşamıyoruz.

DJ– Neyse millet. Saatlerimiz on altıyı gösterirkene iki alomuza da tenkülerimizi fışkırttık veeee Suzicim öptüm seni. Gene böyle kop gel, oldu mu kanki?

Seyhan– Oooldu Tutiş. Sen de öpüldün. Byeeee.

DJ– Sayın X, sizi de bekleriz. Çok matrak oldu yaa. Bilahare bekliyoruz efenim. (Gülme efekti. Kahkahalar bilahare kelimesinin alaylı söylenmesinin hemen ardından duyulur.) Unutmayın bizi efenim. Tekrar teşrif ediniz. (Gülme efekti)

X– Hiç sanmıyorum.

DJ– (Uzun bir gülme efekti) Ooooldu alocum. Kendine iyi davranıyosuuun, okey? Byeeee. Evvet millett! Bu parça güle güle yaptığımız iki dinleyicimize gelsin ve deeee herkeşlereeee. Haydi bakalım hobaaa, satmışım bu dünyanın anasını, danasınııı. Yeaahhh!...

İsmi lâzım değil!

– Bırak şu gazeteyi.
– Niye?
– Düşün biraz.
– Ne düşüneyim?
– Çocuğumuza ne isim koyacağız onu düşün. İsimsiz kaldı yavrum. Tabii ki kimse kalmamış ama bu gidişle benim yavrum kalacak.
– Niye kalsın kardeşim?
– Kardeşin değilim ben senin. Kahvedeki arkadaşlarınla karıştırma beni, kaç defa dedim. Bırak şimdi şu gazeteyi de isim düşün. Göz göre göre

isimsiz kaldı yavrum. Nasıl seslenicez bu çocuğa he, hangi isimle, ilgisiz adam?

– Kız olursa hişşş, erkek olursa da alloooo deriz.

– Sen dersin. İnan ki dersin. Bak benimle dalga geçme. Çok ciddiyim yaa. Gece gündüz düşünüyorum, isim bulamıyorum. Sen de kafa patlat biraz.

– Yoo benim kafa patlatmama gerek yok ki. Sen az daha konuş kendiliğinden patlayacak zaten.

– İnanamıyorum sana yaa. İlk çocuğumuz bu Tevfik. İnsan biraz hevesli olur diy mi? Bak Nejla'nın kocasına. Adam daha nişanlandığı gün çocuk bezi almış be.

– Hadiiii. Yanlış yapmış. Aslında baston almalıydı. O çocuk doğacak, büyüyecek, evlenecek, yaşlanacak. Eklemleri kireçlenme olacak. N'apçak bastonsuz he, nasıl yürüyecek? Düşünmüyo mu bunları hiç? İyyy ne ilgisiz baba. İnan acıdım o çocuğa... Ya bırak. O da sağolsun kafayı yemiş. Nişanlıyken çocuk bezi mi alınırmış? Töbe töbee. Ayıp be ayıp...

– Sen anlamazsın tabiî ki. Senin en ileri görüşün acaba akşama yemekte ne var diye sabahtan akşama kadarlık bir zaman dilimini kapsadığı için böyle incelikleri anlayamaman gayet doğal.

– Ay afedersin canım. Beş yıl sonra saat dördü çeyrek geçe içim kazınırsa diye şimdiden çubuk kraker almadığım için çok özür dilerim.

– Sus sus suss! Hayallerimin yıkıldığının farkındayım da bari hepten enkaz altında bırakma beni.

– Ya tamam sıkma canını. Buluruz elbet... Hahh buldum! Hatice olsun.

– Annenin adı diye diy mi?
– Alâkası yok. Yalanım varsa çocuğumun adı Fernando olsun. Hem sen niye ekşittin yüzünü öyle? Hatice harika bir isim.
– İyi de artık kim Hatice koyuyo ki bu zamanda? Daha modern bir şey koyalım.
– Bu zamanda mı? İsimler zamana göre mi seçiliyo Fehamet? O zaman seninkisi Ramses olsun, accayip uyar. Hem piramiti de vaaaar... Güzel olan her devirde güzeldir hamileanım. Hatice bundan bin yıl sonra da konulabilir. Ayşe, Fatma da öyle... Bu isimleri koymak kolay da, asaletini taşıyacak evlât yetiştirmek zor be. Modern olsunmuş. İyi o zaman, kızımıza Cyrborggül XZ7F koyalım hı? Yeterince modern mi?
– Bi dakka, kız olacağını da nerden çıkardın. Belki erkek olacak?
– O zaman da Cyborgcan XZ8F koyarız. Diğerleri de 9, 10, 11 seri numaralarıyla böylece devam eder.
– Sen geç dalganı geç. Hayır efendim, senin o alay ettiğin Cyborg'u koyarım da Hatice koydurtmam ben yavruma. Arkadaşları okulda "Gızz Hatçaaa!" diye alay etsinler sonra diy mi? Filmlerde bile hizmetçi adları hep Ayşe, Fatma, Hatice, Emine. Hayır efendim. İsimsiz kalsın yavrum daha iyi.
– Zaten amaçta o ya kardeşim. Böyle böyle dalga geçerek kaldırdılar ya bu isimleri... Peki, kız ismi bulamadığımıza göre söyle kız olmasın. Varsa öyle bir durum yarı yoldan dönsün erkek olsun. Yoksa Şuayip isimli bir kızımız olacak.
– Neee?? Şuayip miii??

– Evet. Karar verdim adı Şuayip olsun.
– Hayatta olmaz. Sapık o adam.
– Hangi adam?
– Şuayiiiip, kim olacak?
– Yahu Fehamet hamilesi, burda koca göbekli, kadın hastası, karaktersiz bir karakterden bahsetmiyoruz, ne sapığı? Tamam, adı Şuayip olsun dedim kal orda.
– Sussss! Doğmadan mahvedecek çocuğumun hayatını yaa. Şuayip'miş. Ayyy bak bak bak, nasıl diken diken oldum bak. Hayatta olmaz.
– Hüseyin olsun?
– Hayır, o çaycı.
– Mülayim olsun?
– Hayır, o kapıcı.
– Davud olsun?
– Hayır, o da tetikçi. Bula bula gitti filmlerdeki en kötü adamın ismini buldu yaa. Bırak düşünme. Düşünemiyosun sen. Oku gasteni.
– Zaten resmen öyle bir liste oluştu ya:

Bugün doğacak hizmetçi isimleri: Hatice, Huriye, Ayşe, Emine, Fatma.

Bugün doğacak kapıcı isimleri: Mülayim, Murtaza, İsmail, Saffet.

Bugün doğacak Katil isimleri: Davud, Recep, Ramazan, Bilal.

Böyle de bir tasnif söz konusu sanki. Hepsi birbirinden güzel ve mümtaz isimler. Amaç, bu isimleri taşıyan şahsiyetleri kendi çaplarında aşağılayıp bu biçimde lanse ederek gelecek nesillere takılmasını önlemek ve bu şekilde de ortadan kaldırmak... Ne hâlin varsa gör Fehamet. Abdullah koysak n'olacak ki? Nasılsa bir süre sonra arkadaşları "Apo" demeye başlamayacaklar mı? Bana bi şey sorma. Tanımıyorum seni.

– Tamamm buldumm! Alfonso koyalım. Dizideki en çok sevdiğim artiz. Acayip yakışıklı çocuk. Aslan gibi. Hem söylenişi de güzel. Tamam, Alfonso olsun.

– Şu babası döpyesle gezen Alfonso mu? Hani şu inci gerdanlıklı adamın oğlu?

– Evet, o. Ne var beğenemedin mi? Hem n'oldum deme nolucam de tamam mı? Bütün kızlar peşinde, sen ona bak.

– Tansiyonum yola çıktı sana doğru geliyo Fehamet bak uyarayım.

– Neo olsun. Tamam, oğlumun adı Neo olsun. Hem çok yakışıklı hem de hacker. Ayyy harika durdu inan olsun.

– Bence sen direk Barbara koy. Senin seçim tarzına göre nasılsa çocuk ilerde Alfonso'nun babası gibi olur. O zaman bi de isim değiştirmekle uğraşmasın yavrucak. Hatta bi de seninkiler gibi döpyes dikersin oğluna, bir örnek giyersiniz.

– Tamammm! İnan bu sefer buldum. Palmi olsun.

– Palmi?? O ne??

– Evet, ne var? Söylenişi de güzel hem.

– Manasını sorucam ama gözüm seğirmeye başladı. Sonuçlarına katlanabilir miyim bilemiyorum.

– Aaaa manası da çok hoş hayatım. Bak şimdi; Palmi geceleri sadece inek gördüğünde öten ve sesi minik bir sıpanın tarla faresiyle dostluğunu çağrıştıran, perdeli ayaklı, pembe ibikli, küt gagalı, şirin mi şirin bir kuş. Ayrıca geçinemeyen karı kocaların damına konup aralarının düzelmesine de vesile oluyomuş. Yani öyle de mübarek bi kuş. Ne hoş diy mi?

– Haaaaa, bizim Palmi bu yaaa. Evet evet, gerçekten çok hoş. Tanırım Palmi'yi. Efendi çocuktur. Evden işe, işten eve. Başı önünde dürüst biri… Şimdiye kadar bir acı sözünü duymadım. Ayrıca çok da saygılı… Geçen uçarken gördüm, yere konarken bana bakıp "Müsadenizle." dedi. A aaaa! Şaştım kaldım. Bu devirde böyle bir şahsiyet… Yo yo yoo, çok yaşamaz böyleleri.

– Aman ne espri ne espri… Alay etme fikrimle. Hem manası sadece bu kadar da değil. Ayrıca dağ keçisine duyduğu aşkı için ölen bir orman cininin de adı yaaa.

– Demeeee! Ay ne diyorsuuun? Yahu şunu baştan söylesene… İnan çok ayıp ettim şimdi bak. Kendi kendimden utandım. Tamam, o olsun. Aşkı için ölen Palmi'nin mübarek ruhu bizim çocuğumuzda yaşasın. Bu muhteşem aşk dilden dile, nesilden nesile böylece aktarılsın. Hem kullanışlı da bir isim. Kız olursa da Palmiye koyarız. Bak hem kuş, hem sıpa, hem cin, hem de ağaç. Harika bir karışım inan ki. Kokulusu da var mı bunların? Çifter çifter takarız.

– Sen kendinle dalga geç tamam mı? Ben de anlıcakmışın gibi tutmuş bi de sana anlatıyorum. Sen ne anlarsın be, Şaaabaaan, Şaaabaaan…

yeni öğğğrenim yılı!..

– Günaydın çocuklar.
– Günaydın örttmeniiimm.
– Ne gerek var şimdi bu kadar bağırmaya? Seslere bak, kocaman. Başlıcam sizin ergenliğinize haa, oturr. Gelir gelmez günaha sokmayın adamı... Sen! En arkadaki, burnunda bilezik olan. Çıkar hemen şunu ordan. Gelirsem oraya, o şeyi takacak bir burnun kalmaz bak. Adın neydi senin?
– Kitara örtmenim.
– Nitara??
– Kii-taa-raa.

– Ne demek o öyle?
– Bi ses örtmenim. Yani nası desem şimdi, nası annatsam? Şimdi eee şöyle. Uzakdoğu'da eeee, baharın gelişini müjdeleyen eee, bi kuşun çıkardığı eee, bi ses yane. Hani ben de geliyomuşum ya, babamlar bahar geliyo gibisinden öyle demişler işte bana, iltifat şeysinden. Olay bu yağğne.
– Kızım o sakızı ya çıkar ya da ebediyyen yut... Ayrıca yok öyle bir kuş muş. Baban atmış kafadan. Ne yani, baharın habercisi öten bi kuş değil de böğüren bi inek olaydı baban sana böğğğ mü dicekti şimdi? Bence Japon'un teki bu ismi kullanmış kullanmış, yıpranınca da atmış bi kenara, baban da yerden almış sana takmış. Oturrr. O sakızı da çıkar, dışarıdan ağzına yapıştır. Böyle bir Türkçe'yle konuşma bi daha... Heey sen! Duvar tarafında oturan. Bana mı öyle geliyo, yoksa senin kulağının arkasında sigara mı var? Dua et, bana öyle geliyo olsun, dua et, halüsinasyon görüyo olayım... Oğlum ne bakıyosun öyle aynada kendini ilk kez gören Aborjinler gibi? Sana konuşuyorum sanaa.
– Kim, ben mi?
– Hayır dublörün. Yok, ben her gün aynı saatte o yöne bakıp "Hey sen!" derim. Tööbe yaa. Tabii ki sen. Çabuk yok et o sigarayı ordan.
– Ne sigarası hocam yiaaa? Sigara değil ki bu.
– Ne peki, bazuka mı? Utanmaz, saygısız, arlanmaz. Kulak arkası paket taşı bari... Hişşş! Sen sen, keşin arkasındaki. Bak bakiyim sen bana bi?
– Kim? Ben mi?

– Hoppalaa. Yahu bu sınıfta kimse kendini tanımıyo mu be zombiler? Bak oğlum, tanıştırayım seni. Bu sen, bu da sen. Haydi memnun olun bakıyim… Kendine gel. Sınıfta olduğunu unutma.

– Ya n'aptım hociyam yiaa?

– Çıkar kafanı o cips paketinden ya da tamamen gir içine, kaybol hadi!.. Ya ne bu sınıfın hali yaa? Bi de bunlara ders anlatıcaz ha. Daha beyinleri nerede onu bulamadık. Koca sınıfınkini toplasan bir omurilik soğanı etmez be... Hey hey hey! Sen sen!

– Kim? Ben mi?

– Pess yani, inan pess. Evet sen oğlum, sen. Ta kendin. Ne o saçlar öyle beline kadar uzamış? Ceketinin içine sok bari. Hem sıcak tutar. Hayır, nasıl da kamufle etmiş. Yeni fark ediyorum, ba ba ba.

– Hocam neresi uzun bunların ya?

– Oğlum kural ense değil mi? Senin ensen belinde mi? İki de belik ör bari, bir de kurdele bağla, kızılderili şefi gibi dolaş ortalıkta. Derhâl kestiriyosun onları. Görmücem yarın.

– Ne diyosunuz siz hocam ya? Onlar benim uğurum.

– Uğurların çok uzamış. O kadar uğur fazla sana. Birer parça kes, arkadaşlarına dağıt. Onlara da hayırlı uğurlu olsun.

– Nasıl kesiyim hocam, kıyılır mı bunlara? Bi baksanıza şunlara.

– Bana bakk, savurma saçlarını öyle. Gelirsem yanına, o uğurlarının son kullanma tarihi anîden dolar, uğursuzluğun olur. Yarın görmicem, dedim. Anlaşılmayan bi şey?

– Ööööff öfff.

– Öfürdeme. Okulun kurallarına uyulacak. İşte o kadar.

– Hocam siz okulun kuralları değil, kuralların okulu yaptınız burayı ama.

– Öyle mi Rapunzel? Sen bir öğrencisin ve okul bitene kadar şırıl şırıl göricem o enseyi, işte o kadar. Söyle o saçlarına, ya kafatasının içine doğru uzasın ya da gitsin kuralsız biz yerde uzayabildiği kadar uzasın. Yarın görmiyim... Hayır, ders anlatacağımız güruhu yontmaktan, öğrenci hâline getirmeye çalışmaktan bir türlü derse başlayamadık ki... Bakın, beni Kel Mahmut ilân edeceğinizin farkındayım. Ama isterseniz Führer ilân edin, umurumda bile değil. Tepkilerimin tüm sertliği üzüntümden kaynaklanıyor. Ya ne bu hâliniz, nesiniz siz, kimsiniz?... Al işte yaa, al işte. Gel de çıldırma şimdi. Kızım o tırnaklarının hâli ne öyle, çapa mı yapıcan?

– Lâf atan oğlanları cırmıklıycam örtmenim. Silâh onlar silâh, ha ha ha.

– Kesss! Laubalilik istemez. Guinness Rekorlar Kitabına girmeden derhâl kesiyosun onları. Hatta arkadaşın da yardım etsin. Çünkü normal bi insanın gücü yetmez. Elektrikli testere lâzım sana be... Yok yaa, ben şimdiden kafayı yedim yaa, iflah olmam ben artık. Çocuklar bakın, yeminle söylüyorum, hâlinize kendi çocuğum kadar üzülüyorum. Hayır, zaten üç kuruşa talim ediyoruz, bari kârımız siz olun istiyoruz. Hiç değilse ruhen doymuş oluruz bari. Biz geleceğimizi sizlere teslim edicez ama görünen o ki gelecek hiç gelmeyecek. Bu nesiiil öyle bir nesil kii, böyle bir nesiiil...

– Paaatttt!

– Kız sen çıkarmadın mı o sakızı hâlâ? Suratına da yapıştırdı, ceset gibi oldu. Kalk git, çabuk temizle şu suratını... Güya burda lâf anlatıyoruz. "Hoca nutuk atıyo." diyosunuz di mi? "Dinlemesek de olur." Anlamayı zaten geç... Neyse, size beyin nakli yaptırmadan hiçbir şey işlemez, biliyorum ya neyse. En iyisi bırakalım dağınık kalsın. Bari kalbiniz kırılmasın. Sonra öğretmenler odasında herkes çayını içip sohbet ediyo, ben bir köşede, sigara dumanları arasında, bir elim başımda kahır içinde oturuyorum.

– ... Dudu dudu dilleri, lıkır lıkır...

– Kim o? Ne o? ... Al işte al yaaa. Telefon mu o?

– Yok hocam, Tarkan bu. Cebimde taşıyom da, ha ha ha ha. Telefonun melodisi bu hocam, ne olcak başka?

– Bana ne melodisinden be. Okulda telefonun ne işi var? Çabuk ver onu bana. Aman be amaaan. Annem ne güzel astronot ol demişti bana. Hiç olmazsa gerçek uzaylılarla uğraşırdım. İçime fenalık geldi be.

– Bana da mesaj geldi hocam.

– Bana bak, küstahlık etme. Yuttururum o telefonu sana, akşama kadar dudu dudu dolaşırsın ortalıkta. Ver çabuk şunu bana. Bu telefonu bir daha burda öterken görmicem. Bugün olanları görmezlikten geliyorum. Hatta bugüne tamamen kör oluyorum. Yarın herkes insan suretinde gelecek, karışmam. Yoksa bugünküleri de eklerim, müebbet okursunuz bu okulda... Neyse, bakalım geçen seneden neler hatırlıyorsunuz bir sınayalım... 371 Orkun, kalk yavrum tahtaya.

– Kim? Ben mi?

– Hayır oğlum İzzet Altınmeşe... Yahu tabi ki sen, kim olacak başka? Kalk tahtaya.

– Şimdi mi?

– Hayır yavrum. Nasipse önümüzdeki ayın son perşembesine randevu veriyorum. Heehh, buraya da not alalım. Geç kalma, tamam mı oğlum? Haydi güle güle... Kalk ulen tahtaya, dişçin mi sandın beni? Tabii ki şimdi.

– Öfffff! Hayret bi şiii yaaa.

– Sensin hayret. Oğlum gelsene buraya, neden korkuyosun, yemicez gel... Eveeet, pankreasın görevleri nelerdir? Döktür bakalım.

– Eeee, pankreasın görevleri çoktur hocam. Bildiğiniz gibi değil.

– Hımmm. Dünyanın yükü omuzlarında diyosun yani hı?... "Bildiğiniz gibi değil." dedin. Pekâlâ, senin bildiğin gibi nasıl? De bakalım. Nerde mesela bu organ? Yani nerde ikamet ediyor? Kolda mı, kafada mı, karnımızda mı?

– Kolda, amann karnımızdadır hocam. Beni de şaşırttınız yaa.

– Evet oğlum, ben şaşırttım. Yoksa sen şakk diye bilecektin... Peki ne yer, ne içer? Bi şey salgılıyodu bu organımız neydi o?

– Yav hocam ne bulursa salgılıyo işte. Ne bileyim ben, bir tükürük, bir su, ee efendime söyleyeyim bir ter... Belli olmuyo ki. Zamane pankreası işte...

– Öyle diyosun yani. At yavrum at, açılırsın. Eee sonra? En sevdiği popçu kim?.. Geçç yerine. 100 üzerinden -1... Sen Kitara, baharın habercisi olan kuş. Müsaitseniz tahtaya buyrun lütfen. O sakızı da gizli gizli sonra çiğnersiniz. Anlat bakalım kızım, mitoz bölünme nedir?

– Mitoz ya da mayoz fark etmez hocam. Bölünmek iyi bi şii değildir. Zaten bizi bölmek isteyen çok... Yağni adı ne olursa olsun, bölünmek iyi bi şii değildir hocam.

– Diyosun. Şehitler ölmez, hücre bölünmez yani ha? Geç kızım yerine. Gözlerim yaşardı. Bu cevaba lâyık bir not bulamadım. Şimdilik al şu sıfırı, idare et. Sonra aramızda anlaşırız. Maksat ayağın alışsın.

– Saat kaç hocam?
– Şimdi çalacak.
– Zaaarrrrrrrrrrrrrrrrrrrrrrrrrr!
– Hadi geçmiş olsun.

freddy'nin faturaları..!

– Anneee yetiişş! Babam telefonla konuşuyo.
– Yettimm!... Bi dakka niye yetiyorum ki şimdi ben? Konuşursa konuşsun ne var bunda? Telefon yeni açıldı ya deneme yapıyodur.
– Hayır anne, öyle değil yaaa. Babam telefonun kendisiyle konuşuyo.
– A a! Tu destur. Remzi?
– ... Annem bana yağlı ekmek sürerdi. Üzerine de toz şeker ekelerdi. Öyle güzel olurdu ki...
– Eyvahlar olsunn! N'oldu şimdi buna durup dururken? Enikonu keçileri kaçırmış aaa. Nasıl toplucaz şimdi?

– Anne az önce elinde faturayla geldi. Zarfı açtı, kahkaha attı, faturayı uçak yapıp fırlattı, ardından el şaklattı. Sonra da telefonu eline alıp sevmeye başladı.

– Ne faturası?

– Telefon. Al bak işte burda.

– Bu da nerden çıktı şimdi durup dururken? Dur bi bakalım... Hiiii! Yok yok, bakmayalım. 561 L. Hakikaten bütün sürüyü kaçırtacak kadar var. Remzi kendine geel!

– ... Ericson mu deseem, elmason mu desem öyle bi şey işte. Hem seninki gibi kablosu da yok... Ah annecim, ne güzel sürerdi. Bi de toz şekerli...

– Baba kendine gel! Hükümet düştüüü.

– ... Ne aaa! Geldik mi? Nerde nereye düştü?

– Aferin kız sana. İyi akıl ettin haa. Remzi bu ne?

– O mu? Her gelin kızın rüyası, Zetina dikiş makinası... Yavv ne olacak, dün geceki kâbusumun manası. Eveeet, bu akıbete nasıl uğramışız bir bakalım... KDV, 177 L. Yaani kanserin K'sı, dizanterinin D'si, vebanın V'si... Neymiş efeeem. KDV... ÖİV, 128 L. Yani, öylesinenin Ö'sü, istiyoruzun İ'si, vereceksinizin V'si... Ma+Şa+Fa+Ka, 211 L. Remziye bu ne? Bol buldunuz di mi Ma+Şa+Fa+Ka yı? Harcayın gitsin bakalım. Zaten bugünlerde sizin gözünüze bir görünür var ama hadi bakalım hayırlısı.

– O ne be?

– Ben ne bileyim? Her neyse yapmışsınız işte. Bu da ne? Müteferrik, 105 L. İbrahim Müteferrika'nın müteferriği mi bu acaba? Basım parası herhalde ya da değil, ne bileyim. Bu da nesli tükenmiş vergilerden olmalı. Tamam, bundan sonra avucunuzu yalayın. Şakadan bile alo diyeni vururum. Telepati öğrenin, o yolla haberleşin tamam mı?

– Ama bey, bu faturanın bu kadar gelmesi imkânsız... Hatta bu fatura imkânsız... Telefon daha bugün açıldı. Ne zaman konuştuk da bu vergileri hak ettik bilmem ki? Ayrıntılara bi bak bakayım.

– Küba mı? Castro'yu mu aradın Remziye? Hollanda, Fiji adaları, Guantanamo, Fransa, Pekin. Tüm yerküre aranmış. Ahh koca çeneli kadın ahhh. Bari yakın memleketleri arasaydın insafsız. Fiji'de ne işin var be?

– Saçmalama Remzi. Niye arayayım orayı canım?

– Ben bilirim seni. Sen telefonla aşure bile dağıtırsın.

– Tabii, zaten bu evde ne olsa biz suçluyuz. Her şey haklı yere mi oluyor bu dünyada Remzi? Ne yani haksızlık olamaz mı? Millete telefonu bile olmadan fatura geliyo be. Biz gene iyiyiz. Tamam, hakikaten fazla ama n'apalım şimdi? Hem belki gizli gizli sen konuştun hı, hadi bakalım...

– Ne işim olabilir benim Pekin'de Remziye?

– Benim Fiji'de ne işim var Remzi?..

– Tamam uzatma. Bakalım başka nerelerle çan çan etmişsiniz. Nee! Hayırr olamaaz! Yo yo bu kadarı da çok fazla artık... Yağlı ekmek... Şekerli hem de... Kendi numaramı arayıp kendimle tam elli beş dakika konuşmuşum... Hem de ta kendimle... Ay ay ay... Annee gene sürsene. Biraz da toz şeker ekle...

– Din don, din don...
– Anneee, doğalgaz faturası geldi.
– İyi de bizim değil doğal, suni gazımız bile yok kızım. Bu kış odun bile alamadık.
– Hem de 652 L.
– Amanınn! Remziii, söyle annene bana da sürsün o yağlı ekmekten. Söyle şeker de eksin e mi?..

elma olmasın apple olsun!

– Sen bu vaziyette mi gelicen pikniğe kızım?!
– Hı hı.
– Kızım, bu vaziyette derken sitem olsun diye dedim. Yavrum giyinik değilsin farkında mısın?
– Baba ne diyon sen yaa? Üstüm başım giyinik benim.
– Evlâdım başın var da üstün yok. Giyiniğim derken derini kastediyorsan, evet, giyiniksin. Biyoloji kitabı gibi dolaşma ortalıkta, git üstüne bir şeyler geçir... Bi dakka bi dakka, gel bakiyim sen buraya. Ne yazıyo senin tişörtünde öyle?..

İki- çürük- elma!.. A-a! Bu ne be! Kızım sen manyak mısın? Daha doğrusu manyak! Sen kızım mısın?!

– Ayy babaaa, İngilizce o. Millet sanki manasıyla mı ilgileniyo?

– Çürük elma çürük elmadır. Hangi dilde olursa olsun kurtlu elma işte. İngilizce olunca vecize mi oluyo yani?! Diyelim ki İngilizce bir küfür yazılı. Kulağa hoş gelince sorun yok diy mi?! Kim bilir bu şekilde kaç senedir yedi ceddimize sövüyorlar bizim de haberimiz yok! Nerden buldun bu çürük tişörtü?

– Çarşıda gördüm. Çok pahalıydı. Bir hafta düşün taşın, para biriktirdim, annem aldı.

– Yazmak için bir saniye bile düşünülmemiş bir şeyi, almak için bir hafta mı düşündün?! Kızım senin o kadar beyin hücren var mıydı? Haa, yetmediği yerde anandan almışındır tabii. Samiyeee! Çabbuk söyle, bunu neden yaptın? Yalnız şunu bil söylediğin her kelime aleyhine delil olarak kullanılacaktır. Avukat çağırma hakkın da yok.

– Ay ne var bunda ayol?

– Kendine de "Ben bir deli danayım." yazılısından alaydın ya?... Neyse, çabuk olun gidiyoruz.

– Ayyy, gene o salak arabayla gidicez di mi? Üüüüf üffff! Millet Toyota 4X4' le gidiyo. Biz gene patır kütür Anadol'la. Külüstür şey, nefret ediyorum şu arabadan.

– Külüstür sensin. Ey gidi eyy! Türk malı olunca böyle külüstür oluyo diy mi? Şimdi o araba aynı model bir Mercedes olaydı o zaman klasik olurdu işte. Ne kadar eski olursa o kadar özel olurdu.

Sen de havanı basardın o zaman... Kesss! Benim arabam taş gibi. Takır takır da çalışıyo.

– Sorun da o işte baba. Takır takır çalışıyo. Sokağa girince millet hava saldırısı var zannedip pencerelerine kara perde çekiyo. Geçtiği yerlerden bir avuç vida topluyoruz. Ayrıca yer çekimiyle çalışıyo o araba. Sadece bayır aşağı inebiliyo. Bi gün iterken arkadan çifte atacak diye korkuyorum.

– Ah diyorum yaa, yabancı bir marka olsaydı, arkadan itsem diye dua bile ederdin.

– Bütün arkadaşlarımın arabası var, ben hâlâ yaya.

– Kızım, yavrum, bekle para bozulsun, sana araba değil helikopter alıcam! Hatta "hel"- ini ben alırım, "kopter"ini de annen alır. Şimdilik bir çif beygir alırız, bir de tahta arabaya koşarız, deh dıgıdık gidersin. Hem yaya olmaktan bu kadar şikâyetçiysen kırayım bacaklarını, kaya gibi otur evde... Hadi çabuk olun yaa. Hanım, benim çizgili pijamaları aldın mı?

– Almadım. Alamam. Rezil oluyoruz el âleme. Dağda bayırda zebra gibi dolaşıyosun, millet kıs kıs gülüyo arkandan. Seninki gene giymiş bayramlığını diyolar. O kadar Nike veya ne bileyim ben Adidas bir eşofman al dedim dinlemedin. Değiştir bu kafayı Fehmi değiştiir.

– Kafayı değil ama en kısa zamanda seni değiştiricem Samiye. Ahh o çizgili pijamaların bir köşesinde Adidas yazaydı, o zaman zebra olmuyodum diy mi? "Ayyy gerçekten çok otantik." oluyodum o zaman. Ama sen duuur! Giyicem işte. Ordaki tek zebra ben olucam. Discovery'e çeviricem orayı.

Hah! Tokyalarımı da alıyorum, defile yapıcam orda. Rezil edicem sizi... Hadi çabuk olun. Gene o dik yer bize kalıcak. Geçen sefer kaymayayım diye yerçekimiyle mücadele ederken akşam oldu, hiç bi şey anlamadım.

– Aşkın gözyaşları başladı. Hiçbir yere gidemem.

– Sabah televizyonun karşısına bir oturuyorsun, gözlerin pörtlüyor. En küçük bir hayat belirtisi yok. Sanki sen televizyonu değil de televizyon seni seyrediyor. Düğmen de yok ki kapatalım. Reklâm aralarında yaşıyosun sen Samiyeeee, inan hastasın sen... Ulan gidecek yerim olsa inan bir dakika durmam şu evde be.

– Hiii! Antonyo'ya araba çarptı. Bi şey dedi ama anlamadık ki çenenden. Düşük çeneli adam, bi sus be bi suuss.

– Samiye, sana şimdi bir çarparım Antonyo'dan beter olursun. N'oldu bize böyle böyle yaa. Biz eskiden haberlere ajans derdik. TRT-1'deki köy kına gecelerini seyrederdik. Yabancılardan en fazla Dallas'ı bilirdik. Şimdi o zombi arkadaşlarınla akşama kadar birbirinize dizi özeti anlatıyonuz. "Ayy, kız Marimar'da n'ooldu biliyon mu? Marcus bunları biiir bastı." "Hangisi kız? Hee, o sağ kulağı duymayan mı?"... Kocalarınızı bu kadar tanımıyonuz be... Kızın da sen de iki çürük elmasınız, duydun mu beni Samiye? İkinizin de kefeni Adidas olur inşaallah!

– Hiiii! Tanıdı onu, kırmızı Porsche'den tanıdı. Ah anacııım! Nası da ağlıyo görüyon mu Fehmi?

– Beter olun!!!...

niyetçi geldi haanııım!

– Bir "Huzur Kelebeği" programına daha hoş geldiniz sevgili seyirciler. Bu iftar saatinde de yine oruçla ilgili kafanıza takılan soruları cevaplamak üzere sayın hocamız aramızda ve engin bilgileriyle hepimizi huzur içinde bırakacak. Sayın Hocam hoş geldiniz. Nasılsınız?

– Hoş buldum. N'olsun oruçluyuz.

– Ne güzel efenim. Yalnız biraz canınız mı sıkkın? Sizi de her akşam aç arık, oruçlu oruçlu buralara kadar yoruyoruz ama o derin birikimizden herkes yararlansın istiyoruz.

– Yok efendim sıkkın falan değilim, olur mu öyle şey. Hem gelirken bir şeyler atıştırdım ben. Aç değilim, sorun yok. Halkımızın sorularını seve seve ve zindelikle cevaplayabilirim buyrun.

– Nasıl atıştırdınız efenim anlamadım. Siz oruçluyken yemek mi yiyip geldiniz?

– Efenim karın doyuracak kadar değil elbette. Oruçluyuz sonuçta değil mi. Her şey kararında olmalı, haddi aşmamalı. Ben, gelmeden önce zihnim sağlam olsun, dikkatim dağılmasın diye iki kaşarlı tostla, üç hamburger atıştırdım. Niyetim şuydu efenim; vatandaşımızın sorularına aç karnına eksik cevaplar verirsem yanlış amellere neden olabilirim ve bu da vebal olur diy mi efendim. Ameller niyetlere bağlıdır ve orucumu açmak niyetiyle değil de bu vazife aşkıyla yediğim için orucuma da bir zeval gelmemiş oluyor, ayrıca halkımızın huzuruna da dinç ve verimli bir zihinle çıkmış bulunuyorum efenim.

– Efendim sabahtan beri ölüyorum açlıktan. Programı zor sunuyorum. Niyet olayının böyle bi güzellik olduğunu bileydim ben de iki lahmacun atıştırırdım hocam. Böylece programı daha verimli sunardım. Bakın gördünüz mü şimdi seyircilerimizin de hakkına girdim tüh. Neyse artık yarın öyle yaparız, sağ olun hocam... Eveet, sorularımızı sormaya başlayalım.

– Yalnız bir saniye, ben önce bir bardak su rica edeyim. Tost biraz susattı da beni. Aklım şimdi susuzluğa kayıp sorularınızı düzgün cevaplayamazsam vebale girerim. Su biraz soğuk olsun lütfen.

– Hakikaten bu niyet işini anlattığınız için size ne kadar teşekkür etsek az. Arkadaşım sular iki olsun. Çay da alır mıydınız hocam? Keyifli olursanız soruları daha verimli cevaplarsınız. Olum iki çay bize.

– Yok hayır çay kalsın. Çay caiz değildir. Zinhar orucu bozar. Şimdilik soruları cevaplayacak enerjiye ve dikkate haizim. Niyetimizi bozmayalım değil mi efendim.

– Tamam hocam, siz daha iyi bilirsiniz aman orucu bozmayalım… Evet, ilk sorumuzu Niyazi Halsiz adlı vatandaşımız sormuş. Diyorki; "Hocam, Ramazan başladığından beri sigara içemeyen patronum tarafından sürekli azar yeyip duruyorum. Acaba azar yemek orucu bozar mı?"

– Bakın efendim önemli olan niyettir. Eyer patronunuz işi kaytardığınız için sizi azarlıyorsa bu azarı yemek orucu bozar mı, evet bozar. Ama eğer haksız yere azarlıyorsa bu sefer de onun orucu gider. Bu mübarek günlerde kalp kırmak daha da günah olduğundan mütevellit, kalp kırmamak niyetiyle bir sigara içmesi caizdir, orucuna bir zeval vermez efenim. Burada mühim olan husus kalp temizliğidir.

– Evet, ikinci sorumuz Sefalet Kırıkçı adlı vatandaşımızdan. "Hocam, kocam beni Ramazan demiyor, her gün dövüyor. Acaba dayak yemek orucu bozar mı? Bozuyorsa altmış bir gün tutmam gerekiyor mu?"

– Bakın efendim hep önemli olan niyettir diyorum. Eğer kocanız iş yerinde stresli olup da verimini düşürerek patronunun hakkına girmemek niyetiynen sizi dövüyorsa, o zaman orucunuz bozulmaz. Ama adamcağız güle oynaya eve gelip de, kendisinden sizin neden olduğunuz bir öfkeden dolayı dayak yiyorsanız orucunuz bozulur. Ama altmış bir gün kefaret gerektirmez. Dayağınızı yerken kaç tokat attığını sayın ve o kadar gün tutun kâfidir. Ayrıca orucunuzu dayak yiyerek de açabilirsiniz caizdir. Bu dayak mevzu beni çok üzüyor. Efenim moralim çok bozuldu, verimim düşmesin. Ben şimdi bir çay hatta bir de sigara alabilirim. Oruçlu oruçlu vatandaşlarımızın hakkına girmeyelim...

uyanık dedikoducular

Akla gelen her şey söylenip, sonra da bunları zararsız, meşru hâle getirmek için kurulan cümleler vardır. Bu bir nevi, tabancaya susturucu takarak ateş edip karşıdakini vurmaya ama susturucu kullanıldığı için ses çıkmadığından karşıdakini vurmadığına inanmaya ve "Yani vurmuş gibi olmayayım da…" demeye benzer ama gene de yapılır. Ya da birini çamurun içine küt diye itip düşürerek "Neyse hadi şimdi, itmişim gibi olmasın da…" demek gibidir. Bu olay, dedikoduyu "Yani şimdi günah olmasın ama…", "Neyse arkasından konuşmak gibi olmasın ama...", "Hayır canım yüzüne karşı da söylerim ne var." şeklinde meşrulaştırmaya çalışıp, kendini dedikodusu yapılan kişi ya da kişilerden yüklenen veballerden soyutlama biçimindeki bir kandırmaca, bir çeşit günah kılıfıdır. Ama bu kandırmacaya kaç kişi kanmaz o ayrı. Ve hakikaten bu huy pek bir kronik ve inanılmaz derecede yaygındır.

– Sabahat duydun mu kız, bizim permalı Cavidan var ya hani şaşı olan. Ya hani bebek beşiği kadar ayakkabılar giyerdi yaa... Tööbe tööbe, arkasından konuşmak gibi olmasın da şimdi.

– Kim kız o, çıkaramadım. Tööbe yaa alay etmek gibi olmasın da, hani eski mahallede zebellah gibi iri kıyım, kavak gibi bi kadın vardı, o mu?

– Yok bee, hani böle kemikleri çıkık bi kadın vardı. Dalga geçer gibi olmasın da, hani sokaktan geçerken, "Şimdi bi rüzgâr çıksa gaste kâğıdı gibi uçar bu." derdik. Neyse günaha girmeyelim töbe töbe.

– Haaa dur kız dur. Mana bulmak gibi olmasın da, hani şu etekleri sofra bezi gibi olan di mi? Tööbe tööbe kusur bulmak gibi olmasın da şimdi, hani bi ayağı topaldı, o mu?

– Hee oo. Dedikodu gibi olmasın da şimdi, hani bi kızı vardı ya bunun evde kalmış, sıska bir şey töbe töbe. İşte onun kulaklarına estetik yaptırmış. Bana da Şetafet söyledi. "Ay bi görsen o yelken gibi kulakları nasıl toplatmış, yarasa kulağı gibi olmuş, benden duyduğunu deme sakın." dedi.

– Alay etmek gibi olmasın da şimdi, ama onlarda irsî galiba şekerim. Babasının kulakları da fil gibi töbe töbe... Neyse hadi boş ver susalım dedikodu gibi olmasın, pis günahlarını almayalım mübarek gün.

Akıllarına gelen her şeyi, arada kullandıkları bu "Aman günah olmasın da.", "Aman alay olmasın da." gibi avuntularla rahat rahat söyleyip, hayatlarının en önemli meselesiymiş iştahıyla anlattıktan sonra da, "Aman canım bize ne elâlemin işinden." önemsizliğine bürüyüp kendilerince dedikoduyu günahsız hâle getirirler.

– Remzi Abi hakaret etmek gibi olmasın da şimdi, ya senin şu kayınbirader hakkaten salak be abi.

– Ya bırak hiç sorma. Arkasından konuşmak gibi olmasın da şimdi, hakkaten avanağın teki. Bi insan o kadar mı beceriksiz olur ya. Sakız bile çiğneyemiyodu bu, inan kursuna yolladık.

– Ya abicim günahını almayayım da şimdi, o da tam dolandırıcının teki ya. Kusur bulmak gibi olmasın ama kafadan kontak galiba biraz. Geçen, pazarda sizin tezgâhta gördüm. Avazı çıktığı kadar "Karpuuuz kesmece!" diye bağırıyodu ama tezgâhta domates vardı. Katıldım gülmekten. Yok yani alay etmek gibi olmasın da, var onun kafada biraz, tööbe tööbe.

– Var var, kesin var. Hadi şimdi arkasından kuyusunu kazmak gibi olmasın da yakında kovacam zaten evden onu. Hayır, dalga geçmek gibi olmasın ama yani bankaya bi fatura yatırmaya yolluyosun, bankanın yerini tarif edene kadar sanki adama Amerika'yı yeniden keşfettiriyosun. Eline harita veriyorum be. Ablasına çekmiş işte.

Yok mana bulmak gibi olmasın şimdi, ama bizim hanım da öyle. Yarın kuru fasulye pişircem der di mi, akşama ıslar unutur. O fasulyeler çimlenir, tee seneye kadar anca hatırlar. Hayır, saf ayağına kaytarıp kasıtlı mı yapıyolar ne? Töbe töbe, günahları boyunlarına.

— Yani abi şimdi arkalarından konuşmak gibi olmasın da millet hakkaten bulmuş işin kolayını. Yani ileri gitmiş gibi olmayayım da harbi diyorum öküz bu millet abi. Hadi boş verelim. Boğazımıza kadar günaha batıp çıkıcaz bunların yüzünden ya tööbe tööbe, susalım.

Çıkışıyormuşum, sinir oluyormuşum, çok kızıyormuşum gibi olmasın da şimdi, bu "Öyle olmasın da...", "Şöyle olmasın da..." diyerek light dedikodu yaptıklarını sanan kişilere, "Sizi, sadece kendini kandıran uyanık dedikoducular siziii…" demekten de kendimi alamıyorum. Töbe töbe, günahları boyunlarına…

deprem dalgası!

– Sallandım!!!
– Kim?!! Ne?!! Hani?!!
– Ayol bu kadar soruyu da nerden buldun şimdi Dürdane?
– Yahu dur, korktuk herhalde şurada, di mi? Ne dediğimi biliyor muyum biz...
– Hâlâ bilmiyorsun... Yahu hem sallanan benim, sana n'oluyor ayol?
– Öyle deme Behiye. Bugün sen, yarın ben komşum. Bak elimdeki çaya, bak bak. Nasıl çelpeleşiyo bak görüyosun, di mi?

– Titriyosun da ondan be komşucum. E haliyle maddenin eylemsizlik özelliği denen bir olayı var yani, di mi?

– Aman aman dur, işim olmaz benim öyle eylemle felan. Evlerden dışarı de be. Ağzından yel alsın. Ben evli barklı, işinde gücünde, kocasında bir ev kadınıyım. Sen şimdi bırak eylemi neyi de, geçen gün ne görsem beğenirsin! Daha doğrusu ne görmesem beğenirsin? Mahalle, ağzına kadar kedi doluydu ama o gün bir tane ilaçlık göremedim. Hepsi toplanıp göç mü ettiler, nedir? Nerde bu kediler he? Deprem geliyo, deprem. Hissetti tabi mübarek hayvancıklar, mahalle dolusu kaçtı gitti hepsi.

– Hakkaten ben de göremiyorum kaç gündür. Sahi deprem mi malûm oldu dersin ayol? Sen onu bunu bırak da Feraye söyledi, dün sabah görmüş. Ne kadar karga varsa hepsi toplaşıp gökyüzünde "D" harfi çizmişler. Sonra da sırtüstü dönüp öyle uçmuşlar. Depremin eli kulağında, bak ben sana diyim.

– İstanbul karpuz gibi ikiye ayrılacak diyorlar ayol. Sen bizim muhabbet kuşu da bu sabah kafeste amuda kalkmış "Işık ara, ışık ara." diyodu. Malûm oldu hayvanceyize, offf.

– Kayınvalidem anlattı. Onların mahallede bir günlük bebek konuşmuş yaa. "Gümbür gümbür geliyor, sonunu bilemem!" demiş. "Bir haftadır sokaklarda yatıp kalkıyoruz." diyor. Ödü patlamış kadıncağızın.

– Bizim Şukufe de, "Dün sabah bahçedeki tavuklar resmen kişnedi, abla." dedi. Gözleriyle duymuş, aman görmüş. "İki gün önce de bahçedeki elma ağacında domates bitti, hayretler içersinde kaldım." diyor.

– Hadi yaa... Ahhaa! Bir dakka, bi dakka domates mi dedin sen??!

– Heee ya domates. Resmen karpuz kadar domates bitmiş ağaçta.

– Aaaa! Sen dur duuur, demek ondanmış. Bu sabah salata yapıcam, domatesi kestim, içinden karpuz çekirdeği çıktı. Ayyy, demek ondanmış. Yok yok kesin deprem bu sefer. Bu bir işaret. Niye ağaçta domates çıkıyo ha??! Domates yerde olmaz mı??! Bak düşün şimdi. Domates nerde olur? Yerde. Yani zeminde. Eeee, ağaçta ne işi var bunun? Niye ağaca çıkıyor bunlaar?!! Çünküüüü....

– Hiiiii!!!

– Eveeeeet, çünküüü yerden kaçıyolar, yerdeenn. Çünküü depremm!!

– Ayyy Behiyee, nerelere kaçalım Behiyeee? Ay ay ay, dur sallandık gene.

– Yok sallanmadık. Ben sallanınca söyliycem sana, korkma komşucum.

– Sağ ol Behiyem. Sen de olmasan var ya göz göre göre enkaz altında kalıcaz ya. Ay bak aklıma ne geldi, şimdi dinle bak. Domates, dopames, depemes, depremes... depreemm!

– Ayy hakikaten de ayol. Ahh şu Faik bir gelse de bahçeye çadırı kursa yaa. Nerde kaldı bu adam? Geçen gün bizim Muhayyel Abla söylediydi. Boğaz'da martılar kanat kanada girmiş halay çekiyorlarmış. Malûm oldu tabi, korkudan keçileri kaçırdı hayvancıklar.

– Kız sus suss. Hani mahallede bir Laz Amca var ya, hani şu hiç konuşmayan. Bizim oğlan geçen gün onu anîden "Uyyy depreniyruk!" derken duymuş.

– Neee?!! Ay bitti, her bi şey bittii. Faiiik, nerde kaldın Faiiik!

–Zırnnnn... Zırnnnn.

– Hiiii! Behiye kapı çalıyo, depreeeem geldi, kaaaççç!!

kırmızı idealli kız...

– Top 10 listesi sokaklara yayılıır. İiinsan bunaa sinir olur bayılıır... Tak tak tak! Büyükanne ben geldim.

– İyi halt ettin. Her gün tam bu saatte damlamasan olmaz zaten, olumlu şey. Hem bas bas bağırma, sağır yok senin karşında. Başım çekmiyo.

– Büyükanne, sana acılı lahmacunla üzüm hoşafı getirdim.

– Tansiyonum var bilmiyo musun geri zekâlı kız? Söyle o annene gelmem ben böyle suikastlere. Boşuna uğraşmasın zırnık bırakmıcam ona. Bütün servetimi Gargamel'e bırakıcam.

– Aşk olsun büyükanne. Sen beni severdin, n'oldu şimdi? Bana neden böyle üvey torun muamelesi yapıyosun? A a! Sen saçını mı boyadın, neden?

– Sen sor diye.

– Kaşlarını da almışsın, nedeeen?

– Kökü bende, gene çıkar. Hem sana ne be? Hesap mı vericez sana bu yaştan sonra?

– Büyükanne, babam pazardan beş elma aldı. Evde de iki kirazımız vardı. Kaç kivimiz oldu?

– Yahu ne çok soru soruyosun sen? Şimdi dizim başlıycak. "Kesekâğıdının Acıklı Sonu". Al lahmacunlarını da git başımdan.

– Sen gene kurt yedin di mi büyükanne? Ne pis huylar edindin bu yaştan sonra hee.

– N'apalım kızım? Devir değişti. Millet masalı okuyup ibret alsın diye her defasında kurda kuşa yediremem kendimi. Kırmızı başını da al git şurdan, günaha sokma beni.

– Gidemem büyükanne. Birazdan arkadaşlarım gelicek. Seni ziyaret ediceklermiş.

– Amann bi onlar eksikti. Önüne gelen çapulcuyu toplayıp getirme buraya. Hayır, gelenler de adam olsa bari. Sümüklü Hansel'le Gratel. Saf şeyler. Yollara ekmek kırığı döke döke ikisi de çarpılmış. Hele o Pollyanna nasıl uyuz, nasıl aptal. Sinir oluyorum o kıza ya. Evde kalmış şey.

– Tak tak tak!

– Hiii! Sus büyükanne sus. Duyarsa inan ki yıkılır.

– Hiçbi şey olmaz ona. Mutlu olcak bi şey bulur gene.

Polyanna– Merabayın millet. N'aber moruk? Ne o vaziyet kız ööle? Eurovision'a mı katılıyosun? Ay ne rüküş, hihoohaa. Çak çak çak... Paaatt!

– A a! Pollyanna? N'olmuş sana böyle? O sakız da ne öyle?

– Kafam bozuk karışma sen! Ya bu hayatın nesi var? Tam evden çıkarken tırnağım kırıldı. Ayar oldum yaa.

– O üstündeki deri mont da ne öyle Pollyanna? Sen hep fistolu kabarık elbiseler giyerdin...

– Ayy başladı gene. Gıcık yaa. Ne çok soru soruyosun sen be! Boş ver şimdi. Gelirken Simbad'ı gördüm. Ne yakışıklı çocuk ya... Cebini istedim, Sindirella'ya vermiş. Ne buluyo o sümsük kızda anlamadım yani.

– Tak tak tak!

– Kim oo?

– Hanzo ben.

– Aaa, gel Hansel gel. Gratel nerde?

– Cadının evinde çikolatalı pencere günü varmış, oraya gitti. Pamuk Prenses ve yedi cüceler de orda. Okey oynucaklarmış. Hem duydunuz mu? Pamuk Prenses sevgili prensini Pembe Panter'le aldatmış. Prens maillerini yakalamış. Bir kilo zehirli elma yiyip intihara kalkışmış. Acil serviste Televole kameralarına "Ya benimsin ya toprağın Prenseees!" diye de bağırmış.

– Sindirella da üvey annesiyle üvey kız kardeşlerini bi temiz dövüp hastanelik etmiş. Evi de otel olarak işletmeye başlamış. Adını da "Tasmalı Köşk" koymuş.

– Gelirken Don Kişot'u gördüm ben de. Yel değirmenlerini bin yıllığına kiralamış. Önünde turistlere dürüm satıyodu.

– Alaaddin'in sihirli lambasının ev sahibi de Almanya'dan oğlum gelicek diye cini lambadan çıkartmış. Cinle Alaaddin fellik fellik kiralık lamba arıyolardı.

– Rapunzel de saçlarını kestirip kırmızıya boyatmış. Rock kaseti hazırlıyomuş. Kuleye de asansör yaptırmış.

– Robinson adaya kumarhane açmış. Cuma da "Cumartesi" olmuş.

– N'olmuş herkese böyle yaa? Siz idealist kahramanlardınız. Hepiniz aslınızı yitirmişsiniz.

– Sen anlamazsın kızım. Git kurabiyelerini pişir sen. Enayiliğine doyma. Devir menfaat devri artık. Millet bankaların önünde dileniyo. Açlık sıradan hâle gelmiş. Bir eğilmeye gör, millet oyun zannedip birdirbir gibi atlıyo üstünden. Benim kadar kanaatkâr olma be. Yıllarca aptal diye adım bile çıktı. Gel de bu ortamda mutlu olucak bi şey bul... Üfff! Kahretsin yaa. Bu tırnak da nerden kırıldı şimdi? Akşama Robinson'la poker oynucaktık...

çer-çöp..!

Kuyruktaydı. Bürokrasiyle ilk tanıştığı gün kadar ürkek ve umutsuzdu. Dünyanın en enteresan vergilerinden biri olan çöp vergisini ödemek için sıradaydı. İyimserlik edip, günlerce toplanmayıp, el kadar olacak nispette semirmiş sivrisinekler için doğal bir ortam oluşturmuş çöplerin, hayvanseverler tarafından toplatılmadığını düşünmek istiyordu. Bir yandan bu verginin kendisine ne çeşit bir yol, su, elektrik olarak geri döneceğini düşünüyor, diğer yandan da ayaklarının şişmesini seyrediyordu. "Eve gidip çizgili pijamalarımla ördekli terliklerimi alsam mı acaba? Hem annemle de helalleşip öyle gelirim artık." derken sıra ona geldi.

Memure – Ne vardı?

Adam – Sizzz!! Hatırladınız mı beni?

Memure – Öyle mi gerekiyor?

Adam – Evet öyle gerekiyor. Aslında ben sizin vicdanınızın azabı olmalıyım.

Memure – Bakın beyefendi, demin ne vardı derken, neyiniz var deyip hatırınızı sormadım. Emlâk mı, çöp mü diye sordum.

Adam – Bakın güya espri yaptınız ama dikkat ederseniz ben hiç gülmedim. Siz şimdi hakkaten hatırlamıyo musunuz beni, yoksa ilk defa görmüş taklidi mi yapıyosunuz?

Memure – Hatırlamıyorum sizi canım, zorla mı? Aa!

Adam – Geçen sene bana Mısır Piramitleri'nin bile çöp vergisini ödetmeye kalkmıştınız ve yüzlerce evrak hazırlatıp sonra da havamı aldırtmıştınız.

Memure – Eeee, n'olmuş?

Adam – Bi şey olmamış, işte bu olmuş, bir manyak olmuş. O gün tarafınızdan havamı alınca beynim cereyanda kalmıştı ve gömleğimi göbeğimin üzerine düğümleyip şakır şakır oynayarak huzurlarınızdan ayrılmıştım.

Amca – Memur bey kızım, gözünü seveyim hatırla şunu. Yoruldum yaa. Bak kalp var bende.

Memure – İyi de amca her yaptığım işlemi hatırlayamam ki.

Adam – Ben bir işlem değilim. Ben bir efsaneyim. Ben yokluğunda aranılacak biriyim.

Memure – Güvenliiikk!

Adam – Güvenlik mi?! Güvenliğimle bu kadar yakından ilgilenmeniz emin olun sizi gözümde daha da bir büyüttü!

Amca – Evlâdım sıcaktan isilik oldum. Yalvarırım intikamını biraz ertele.

Memure – Tekrar soruyorum. Emlâk mı, çöp mü?

Adam – Sizce ne olsun?

Memure – Bence ikisi de olmasın.

Adam – B şıkkı, yani çööp.

Memure– Bilgilerinizi giriciim, makbuzunuzu verin.

Adam– Şimdi mi vereyim?

Memure– Yok siz acele etmeyin. Yarın getirin verir, ben burda sabaha kadar sizi beklerim. Başka işim yok ki zaten benim. Şimdi tabii kardeşim, başka ne zaman olacak! Ver şu makbuzu... Semiha Tekdüze.

Adam – Benim, burdaa!.. Ne Semiha'sı bayan? Yok Hülya Avşar.

Memure – Semiha Tekdüze ayol. Verdiğiniz makbuzun seri no'su bu bayanın çöp vergisine ait.

Adam – Bakın bayan, bu numara benim numaram, Semiha'nın değil. O da kim yaa? Tanımam etmem. Yani kafadan bir numara sallasaydınız, emin olun daha isabetli olurdu. Bugün Semiha, yarın Şefika, öbür gün Refika, n'oluyo be? Ha, illâ da bir hata yapacaksanız bari erkek bir hata olsun. Kendimi bir tuhaf hissetim canım. Lütfen bir daha bakın, orda benim adım yazıyor olmalı.

Memure – 59 L. Ödüyo musunuz, ödemiyo musunuz?

Adam – Bakın bayan, bana yine kayışı koparttıracaksınız ama haa. Şu karşınızda duran delikanlı adam geçen sene Şevket Kaytan'dı. Bu sene nasıl Semiha bilmem ne düze oluyor yahu?

Memure – Güvenliiiik!

Adam – Görüyorsunuz di mi? Bu kadın hep böyle din kardeşlerim. Ben nerelere gideyim şimdi? Pekâlâ, diyelim ben Semiha'yım. Peki bu 59 L de ne oluyor?

Memure – O ödeyeceğiniz çöp vergisi miktarı oluyor.

Adam – Ama demin yanımdan geçen adam 17 L ödedi. Neye göre ayarlıyosunuz bu rakamı, çöpleri mi tartıyosunuz?

Memure – Evin konumuna göre.

Adam – Bu durumda benim Beylerbeyi sarayında oturur olmam gerekiyo.

Memure – 59 L lütfen.

Adam – Hayır, ben iki yıldır bu evde oturmuyorum. Bir gram bile çöp üretmedim. Ahh, keşke o evi haberlerdeki çöp evlere çevirseydim. Keşke Bayrampaşa'ya döndürseydim.

Memure – Lütfen parayı tam verin, bozuğumuz yok.

Adam – Bayan, şimdi yeminle o parayı size beşer kuruş hâlinde veririm, ömrünüzün sonuna kadar sayarsınız. Hem çok merak ediyorum. Hani ödediğimiz her kuruş vergi bize yol, su, elektrik olarak geri dönüyordu? Yoldan geçeriz para, su içeriz para, elektrik yakarız para, yakmayız gene para. Hadi parayı da bırakın, ortada bir Semiha gerçeği var. Bari onu değiştirin.

Memure – Eğer siz Semiha değilseniz yeni bir başvuru formu doldurup verginizi üzerinize geçirtin.

Adam – Vergim mi? Ayy ne şirin! Vergim benim, canım vergim! Ayrıca herhalde Semiha değilim. Semiha'ya benzer bir yanım var mı benim? Bi dakka, bi dakkaa! Esas şimdi buldum sizi. Sizinle bundan daha geniş bir mazim olduğunu hissetmiştim zaten. Bundan tam dört yıl önceydi. Bana Vehamet Çarçabuk adlı kadının üç yıllık emlâk vergisini ödetmiştiniz ve "Ayy çok pardon!" demiştiniz. Hatırladınız mı?

Memure – Ayy gene başladı. Yeter artık. Ha-tır-la-mı-yo-ruuum!

Adam – Nasıl olur? Ben sanki o ânı yaşıyorum. Bi dakka, hani ben binada bulunan itfaiye köşesindeki kazmayı kapıp üzerinize yürümüştüm de sizi elimden zor almışlardı.

Memure – Eeehh! Yeter ama haa. Ödeyeceksen öde de git be adam.

Adam – Ödemiyorum, ödemiycem, kesin çöpümü. Ödesem bile size ödemiycem. Çünkü ben sizi hiç sevmiyorum.

Memure – Ayyy, kesinlikle olmaz, darılırım bak. Hatrım kalır. Ödemezsen ödeme be, ben de sana bayılmıyorum.

Adam – Peki, öyle olsun. Allah sizi bildiği gibi yapsın. memuranım.

Memure – Sizi de, sıradakiii..!

ölüm'cek adam

– Büyünce ne olacaksın bakalım.
– Hayvan olucam.
– Ne??! Nası???! Yani nası, ne???!
– Yaa ööle diil. Kahraman bu. Var ya hani yarasa adam, örümcek adam felan onlardan.

Böyle de bir özenti söz konusudur. Fakat insanları bu hayvan kahramanlara özendirmek için Amerika elinden ne geliyorsa ardına koymamıştır. "Bakınız bizim hayvanatımız dahi kahraman. Oysa siz püühhhtt..." der gibi de bir uyduruk güç reklâmı yapılmıştır.

Düşünsenize, kalabalık bir cadde, bir adet kötü adam kadının birinin çantasını kaptığı gibi kaçıyor. Kadın arkasından elini uzatıp feryatlar ediyor fakat kimse o hırsızı yakalamak için en ufak bir şey yapamıyor ve siz tam o anda en mıymıntı hâlinizle "Siz benim böyle durduğuma bakmayın. Kimde ne var bilinmez hey gidi hey. Şimdi kim olduğumu göreceksiniz." diye usulca mırıldanıp, bir de şööle mühim adam sırıtması yaptıktan sonra, bir çöp tenekesine dalıp içinden örümcek adam olarak fırlıyorsunuz. O kalabalık halkın arasına daldığınızı ve "Çekilin şurdan çekilin, beceriksiz şeyler. Bir ağ üretmekten acizsiniz, utanmadan yaşıyonuz bi de, kaçılın." diyerek yolu açıp, elinizde el değmeden üretilen ağı, o tabana kuvvet kaçan hırsıza doğru fışkırtıp "Şraaakk!" diye yapıştırarak, etrafa bakına bakına ve de kasıl kasıla "Ya ya, ben buyum işte, sizi gafiller." diye kendinize doğru çekelediğinizi bir düşünün.

Heyt be, ne hava ama. Gel de özenme şimdi. Hırsızı paketleyip, artan ağla da üzerine bi güzel fiyonk yapıp, o çantası kapılmış kadının ayaklarının dibine attığınızda ve kadına çantasını uzatıp "Buyrun bayan çantanız. Hizmetinizdeyim." dediğinizde o sevinçli bayanın size "Ahh iyiki varsınız örümcek bey. Ağınıza sağlık. Örümcek deyip geçme işte, hakkaten parayla örümceğin kimde olduğu bilinmez. Hakkınızı helal edin, çok sağ olun. Örümceem benim..." dediğini düşündüğünüzde o anki hissiyatınız için, bu hayvan kahramanlık işine sadece özenmek bile az gelir.

Tabii bu sadece hava üzerine kurulu şişirme kahramanlık işinin mantığına inersek örümceklik, kahramanlık falan kalmıyor. Hatta adamlık yerle yeksan oluyor ve de ortaya tuhaflıklar çıkmaya başlıyor.

Örümcek adam örümcek tarafından ısırıldığında "Yandım anam!" diye hemen ısırılan yere kolonya, diş macunu, oksijenli su ne bulursa sürüp ilk yardım yapacağına "Oh be, ısırıldım be, yaşasın be kahraman oldum. Haydi, hemen kendime bir kostüm hazırlayayım." diyerek dooru terziye koşuyor. Yani Amerikanın kahraman olma anlayışının bir haşarat tarafından ısırılmak olduğu böylece ortaya çıkıyor. E o zaman şunu da sorabiliriz. Hepimizi defalarca örümcek ısırıp, arı sokmuştur. O zaman yolların arı adamdan geçilmemesi, ortalığın bir nevi kovan gibi olması lâzım. Biz niye olmuyoruz anlamadım. Ayrıca örümceklerin ısırınca kahraman yapabilen türleri varsa bunları bilelim de bari kısa yoldan köşeyi dönelim.

Bu kahramanlardan Batman olanı zengin ve yalnız bir arkadaştır ve bir gece şatosunda can sıkıntısından patlarken "Kafayı yiycem bişeyler yapmalıyım. Ben iyisimi kötülere karşı savaşayım, hahh bak bu güzel. Öylese neden bir süper kahraman olmuyorum. Ama önce bir hayvan bulmak lâzım... Yaa, bütün hayvanlar da kapılmıştır şimdi." demiş ve geceye bakarak "Hahh! Yarasa olsun evet evet. Yarasa kimsenin aklına gelmemiştir. Been yarasa adamııım!!" diye odanın içinde manyak gibi koşmaya başlamıştır.

Ve hayvan kahramanların hepsi ne hikmetse fena halde Amerikalıdır. Sanki süper kahraman olmanın ilk şartı Amerikalı olmaktır. Peki, bizim süper kahramanlarımız olamaz mı? Neden olmasın. Mesela Sivrisinek Tacettin, Kakalak Orhan, Tırtıl Hulusi, Yılan Sedat. Onca haşarat ısırıyor ve hiçbir getirisi yok iyi be. Olmaz öyle şey. Bu da bir potansiyeldir. Bak elin Amerikalısı bunu nasıl da paraya çevirmiş. Bizim neyimiz eksikmiş. Ayrıca bütün süper kahramanlar hep erkek, nedenmiş? Mesela Çiyan Fikriye, Danaburnu Mucella, Sırtlan Cavidan, Fok Sabahat niye olmasın. Tamam, bir tane Akrep Nalân'la Panter Emel var ama onların da bu konuyla ilgisi yok.

Kahraman olmanın şartı haşarat tarafından ısırılmaksa, bizden kahraman falan çıkmaz kardeşim. Çünkü biz kahramanlığın hayvan tarafından ısırılmakla değil, insan tarafından dahi ısırılsak yine de ayırt etmeden insanı sevmek ve yardım etmekle olacağına inanırız. Biz kahramanlık gücümüzü bir böceğin zehirinden değil, o zehirleyen böceğe dahi yeri geldiğinde merhamet eden şefkat duygumuzdan alırız. Siz, süper kahraman olarak, ağaç tepelerinde mahsur kalmış kedileri, buzlara sıkışmış balinaları kurtarın. Aynı zamanda kurtarmaya(!) gittiğiniz ülkelerdeki masum insanların cesetleri yollardan toplanılması da olur. Çünkü neden, çünkü yarasadan olma, örümcekten doğma kahramanlık anca bu kadar olur…

Şarkılarımız Markılarımız...

– Sevgili seyircilerimiz ve sevgili konuklarımız, bir "Şarkılarımız Markılarımız" programına daha hoş geldiniz. Stüdyo konuğumuz her zamanki gibi muhterem hocamız Sayın Mahfettin Nakarat engin şarkı tahlilleriyle, şarkılarımızın ne denli derin olduğunu gösterip, bizi anlam diyarlarına savurup ordan oraya sürükleyecek. Bugün sizler için yine birbirinden anlamlı, dinlerken tam manasıyla idrak edemeyip ziyan ettiğimiz muhteşem şarkılar seçtik. Evet, sayın hocam hoş geldiniz. Nasılsınız?

– Hoş bulduk canım, sağ ol. N'olsun, şarkılar türküler, işte bildiğin gibi.

– Harikulade hocam. Madem öyle, derhâl ilk muhteşem eserimize geçiyoruz. Ben şahsen dinlerken dikenleniyorum bu parçada ve sizin engin yorumlarınızla seyircilerimiz de ben de dikenli tele dönücez eminim. Evet parçamız şu; "Kandıramazsın beni, susturamazsın beni, durduramazsın beni. Ben kötüyüm sen iyi mi? Eeeh bir iki üç dört tamam, daha da katlanamam. Selam yalnızlık ben geldim." Bakın bakın bakın, şu kollarımın hâline bakın sayın hocam, nası diken diken.

– Şimdi eee şair burada içsel bir çekeleşme, efendime söyleyeyim bir ırgalaşma atmosferinde görünüyor. Çok derin bir şarkı olmakla beraber toplumsal mesajlar ileten bir kararlılık da söz konusu. İlk kıtadaki "kandıramazsın beni"de vakti zamanında kandırılmışlığın verdiği bir haykırış var diy mi? Yoksa bana mı öyle geliyor?

– Uff hocam, hocam gene allak bullak ettiniz bizi. Hayır, katiyen size öyle gelmiyor. Bakın telefonlarımız gene kilitlendi. Herkes "Bize de öyle geldi." diye aradı şimdi. Hatta yüz kişiye sorduk, yüzü birden koro hâlinde "Bize de öyle geldi." dediler.

– Şimdi ee şair burada demek istiyor ki; "Bak artık beni kandıramazsın tamam mı? Çünkü kanmam, kanamıyorum. Ha illâ ben yine de kandıracam, belâmı arıyorum diyosan o zaman iki gözüm önüme aksın ki olacaklardan ben sorumlu değilim. Hiç uğraşma durduramazsın beni. Hele hele o bayramlık ağzımı bir açarsam hiç susturamazsın. Yani ben sana o kadar söylüyorum." diyor ve hemen devamında kararlı bir tavır koyuş, efendime söyleyeyim bir toplumsal haykırışla "Çekil git şurdan, başımı belâya sokma benim." dercesine, "Eeeh! Bir iki üç dört ne bu be!" diyerek olaya son noktayı koyuyor. Ve ve vee "katlandıklarım da gözüne dizine dursun, haram zıkkım olsun" gibisinden, "Bugüne kadar katlandım da noldu he n'ooldu? Daha da katlanamam, yeter!" diyor ve o kandırıkçı şahsı milletin içerisinde, oracıkta yüzüstü bırakarak derhâl yalnız kalacağı bir yere gidiyor ve "Selam yalnızlık ben geldim, yemekte ne var?" diyor. Lâkin "Yemekte ne var?" kısmını içsel bir kıvamda söylediği için, yani bir nevi içinden geçirme olduğu için, biz bunu sözel olarak maalesef duyamıyoruz diyorum ben.

– Ağlamak istiyorum... Muhteşemsiniz, ne diyebilirim ki? Siz ne diyosanız odur hocam. Hakikaten yani yine hepimizi dağıttınız. Siz şimdi bu olağanüstü tahlilde bulunmamış olsanız, biz bu şarkıyı dinleyip geçeceğiz ve bu derinlikten mahrum kalacağız. Elim ayağım titriyor, bakalım sıradaki parçayı nasıl sunucam... Sıradaki eser şu; "Sen beni öldürçen mi çıldırtçan mı çanım. Gözlerim ne söylüyosa doğrudur desem inanır mısın? Seni iyi gördüm diyosun, yalana bakar mısın." Evet??!!

– Şair burada mustarip olduğu, canından bezdiği muhatabına kendisini öldürüp öldüremeyeceğini soruyor. Yani ona göre bilelim de biz de armut toplamayalım diyesi bir keskinlikte şey yapmış. Bu bir cesaret örneğidir ve herkes bunu soramaz diy mi? Ve ardından "ha cevap hayır ise o zaman bana kafayı yedirip sen mi çıldırtçan, yoksa kiralık çıldırtıçı mı tutçan?" diyesi bir cesaretle resmen haykırmış. Bu arada bu kararlı sözleri söylerken "çanım" dediği kişiye bakıyor ve "Yalan mı konuşuyorum ben sana, ne demek istiyosun sen? Ne o öyle, 'at at burası Bağdat' gibisinden bakıyosun bana ha? Gözlerim ne söylüyorsa doğrudur, o kadarrr. Bana seni iyi gördüm diyosun ama ben bunun yalan olduğunun da, her bi şeyin de farkındayım çanım, yutmuyorum, bilmem anlatabildim mi?" diyor. Ha ayrıca "c" harfi yerine kullanılan "ç" de, bir olayı ifade açısından gerçek bir reformdur. Ordaki "ç" harfi ifadeye hafif bir tükürük, efendime söyleyeyim bir çemkirme katarak bu kararlılığın kompozisyonunu daha da bir pekiştirmiştir. Hakikaten o "ç" harfi orda çok iyi düşünülmüştür ve ileriki nesillerin de istifadesine sunulmuş korkunç faydalı bir hizmettir. Kutluyorum.

– Huhhhh... İnanılmaz, anlatılmaz, sersemletici bir yorumdu bu. Anlaşılan siz bizi öldürtçeniz çıldırtçanız hoçam. Bir dahaki programımızda buluşmak üzere hoşça kalın çanlarım.

hayır ferid, sandığın gibi değil..!

" Hayır Ferid. Sandığın gibi değil."
"Susss! Yalanlarınla daha fazla aldatamazsın beni. Yıkıl karşımdannnn..."

Bu cümleleri hepimiz duymuşuzdur. Çevrildiği tarihlere yetişemediğimiz, dünün yenisi bugünün eskisi, hatta senaryolarında geçen "Biz ayrı dünyanın insanlarıyız." ya da "Ağlamıyorum. Gözüme çöp kaçtı." gibi bazı cümlelerin hafiften bir ti'yle deyim hâline dahi geldiği eski Türk filmleri bir âlemdir. Seyrederken onlarla da onlarsız da olamadığımız oyuncuları ve rolleri vardır. İlk beş dakikası içinde sonunu kestirebildiğimiz lâkin başladığında yine de "Hiii koş kooş! Hani çocuk babası olduğunu bilmiyodu da kapısına dilenci gibi gelen öz babasını kovuyodu? İşte o film başladı kız, çabuk!!" diyerek ilk kez izliyormuş gibi heyecanlandığımız Türk filmleri gerçekten bir âlemdir. Sanki bir yerde, içimizde unutulmaya yüz tutmuş hissiyatımızı hatırlama ihtiyacımızdır. Senaryoları genelde zengin kız, fakir delikanlı ya da tam tersi şeklindedir ve en can alıcı özelliği, filmin ilk on dakikasından sonra oyuncuların birbirlerini hat safhada yanlış anlamaları ve filmin sonuna kadar acayip derecede acı çekmeleridir.

Esas oğlan, biz ona kısaca Ferid diyelim, eve gelir ve sevdiği kadını başkasına sarılırken görür. Hâlbuki o sarmaş dolaş manzaranın sarmaşı, sevdiği kadının yani Nalân'ın dayısının oğludur. Ama gel de ikna et. Ferid ter içinde kalmış suratında öfke saçan gözleriyle, yumruğunu ısırarak "Nahpeee! Defolll!" demiştir bir kere. Gerçi nispeten haklıdır da. Öyle de sarılınmaz ki kardeşim. Biz şimdi o yabancı adamın dayıoğlu olduğunu biliyoruz. Sahne ne kadar gerçekçi olsa da yutmayız ama Ferid durumu bilmiyor ki. Bizi sahnenin gerçekçiliğine ikna etmek için sen tut abartılı çek, git Ferid'i ikna et. Gerçi benimki de lâf işte. Ferid Nalân'a herhalde inanmayacak. Olayı doğru anlarsa Nalân nasıl pavyona düşecek, Ferid nasıl alkol bağımlısı olup loş masalarda kahrolacak? Kör olduğunda, sevdiği kız yanına bakıcı olarak gelince "Kim var orda??" dediğinde, Nalan da nasıl "Benim efendim. Hülya Koçyiğit amann yeni bakıcınız Filiz." diyecek? Ferid'in annesi Nalân'ı horlayıp saçlarını bahçıvan makasıyla keserek şebeğe çevirip sokağa atınca, tutup trilyonda bir ihtimalle trilyoner Hulusi Kentmen'in yanına nasıl yerleşecek? Sonra da bir güzel adamın mirasına konup, beş dakikacıkta şirketler zinciri kurup, Ferid'in tüm hisselerini alıp, kendisini -af buyurun- don gömlek bırakıp, yalvartmak için ofisine çağırıp, makam koltuğunda o dev şapkasıyla dönüp "Evet, ben... Bir zamanlar kapınızdan kovduğunuz fakir ama onurlu kız..." diyemez ki o zaman. Yani Nalân ne derse desin Ferid burnunun dikine gidip kesinlikle yanlış anlamalı ki tüm bunlar olabilsin. Düşünsenize yanlış anlamayıp da aralarında şöyle bir diyaloğun geçtiğini:

"Hiiii! Nayırr nayırrr! Nahpeee!"

"Hayır Ferid, sandığın gibi değiill. O dayımın oğlu Namık, yani kuzenim. Paris'ten henüz döndü. Bizi ziyarete gelmiş."

"Haa öööle miii? Sarılın sarılın. Ben de az kalsın yanlış anlayacaktım ve filmin sonuna kadar sürüm sürüm sürünecektin kız Nalân. Huhhh! Ucuz atlattık. Neyse, hoş geldin Namık. Nasılsın? Yemeğe kalmaz mısın?"

Son. Erler Film sundu...

Böyle bir şey olurdu. Yani film milm olmazdı. Tabii acı çekmek senaryo gereği şart olduğundan Ferid kızın yanına hiddetle gidip "Nalçakk kadınn!" diye Nalân'a tokadı şaplatır. Namık filmin sonuna doğru bir yerlerde ölüm döşeğinde, "Nayır, nayırr! O yalnızca seni sevdi. Sezercik senin oğlun... Nalân kır çiçekleri, ay ışığı, Rinso beyazlığı kadar temizdir." (Son anlarını yaşayan bir insan için ne kadar gerçekçi ve edebî cümleler di mi!) demek için evin arka kapısından usulca tüyer. Ve tokadın şiddetiyle yere saçılan Nalân, gözyaşlarıyla ıslanıp yüzüne yapışan saçlarının arasından bakar ve o tokatla dişleri dökülmesi gerekirken sadece ağzının kenarından akan bir damla kanla emekleye emekleye Ferid'in yanına gidip paçasına yapışır. Ve başlaarr acısını çekmeye: "Korkunç bir hata yapıyorsun Feridd! Sandığın gibi değil. O dayımın oğlu. İnanmazsan DNA testi yaptıralım." der ama gel gör ki Ferid "Deffolll!" demiştir bir defa. "Bana ne bana ne, yanlış anladım bana ne, birim birimm!" dermişçesine paçasını hışımla çeker ve "ütümü bozuyosun çekil şurdan beee" edasıyla kıza tekmeyi basar ve çeker gider.

Ve Nalân mazoşist duygularını tatmin etmek, yetmedi, daha çok yanlış anlaşılmak üzere en yakın nöbetçi pavyona gider. Boynuna, sigaraları dizdiği, ne derler ona, adını bilmiyorum ama biz ona sigaralarını dizdiği tepsi diyelim, işte onu asar ve kalabalığın arasında "Sigara sağlığa zararlıdır ama siz gene de alın lütfen." diyerekten dolaşmaya başlar. Neyse, müşteriler rolleri bittiği için gazinoyu boşaltıp evlerine giderler. Sandalyeleri ters çevirip, masaların üzerine koyan Nubar Terziyan da sahneden çıktıktan sonra, gerçekle baş başa kalan Nalân, herkesin gittiğinden iyice emin olunca efkârını şettirmek için bir şarkı patlatır. "Sevmek korkulu rüya, yalnızlık büyük acı. Hangi kapıyı çalsam karşımda buruk acı..." diye şarkısını çığıra çığıra uyurgezer gibi gazinonun sahnesine çıkar ve gözyaşları içerisinde şarkısına devam eder. Gazinonun bomboşluğunu fırsat bilen Nalân bangır bangır haykırırken, sen bunu gazinocular kralı Ekrem Bora duymasın mı? Hemen kartını uzatır ve "Yarın başla." der. Ve Nalân ertesi gün, karın bölgesinde devasa bir gülle bezeli saten elbiseyle, başında en az beş kafalık bir perukla, suratında yirmi yirmi beş kiloluk bir badanayla assolist olarak sahneye çıkar. O gün sanat yaşamının yürüyen merdivenlerine biner. Plâkların, müzikallerin, filmlerin, "Yasemin'in Pencereleri"nin biri gelir biri gider. Bu arada yavrusu da karnında hızla büyümeye devam etmekte ve bir an evvel dünyaya, aman sahneye gelip Sezercik rolünü kapmaya çalışmaktadır. Bu arada Ferid'e ne mi olur? Yollarda, sevdiği kadının takma bir benle, otuz iki dişi meydanda gülen resimlerini görmüş ve çoktan gazino köşelerine düşüp loş köşelerde kadehleri devirerek kahrolmaya başlamıştır bile. Neyse, bebek, Hulusi Kentmen'in evinde sessizce doğar. Nalân'ın kucağına en az on aylık, yeni doğmuş bir tosuncuk verirler. Bu tosuncuk ilerleyen sahnelerde bir miktar rahatsızlanıp, önüne gelen adama, "Sizi çok sevdim amca. Size baba diyebilir miyim?" diyecektir. Velhâsılıkelâm tosuncuk büyür, Sezercik olur. Ha bu arada, Ferid de su içerken sudan bir sebeple kör olur. Kör olunca sanki hafızası da kör olmuş gibi, yanına bakıcı olarak gelen Nalân'ı sesinden tanıyamaz. Sadece "Bu ses?! Bu ses?!" der ve sonra "Ses sese anca bu kadar benzer yahu. Neyse, körüm ya, bana öyle gelmiş olmalı." diye düşünür. Bir ara hızlıca hapşırınca anîden gözleri açılır ve Nalan'ı "Sensin ha?! Defooooll!" diye kovar. Nalân da "Ama Feridciğim, sen bu repliği filmin başında da söylemiştin. Bunadın galiba biraz." demez. Tüm gözyaşı bezlerini tam kapasite çalıştırarak, ne kadar gözyaşı varsa fışkırta fışkırta derhâl olay mahallini terk eder ve bu kadar itimatsız bir senaryoya sahip film, Kuzen Namık'ın "O bir melekk!" demesiyle mutlu sonla biter.

Gene değişik bir versiyonunda, esas oğlan bu sefer fakirdir ve kesinlikle ama kesinlikle mühendislik okumaktadır. Hem aşağısı kurtarmaz hem de bu eski Türk filmlerinin kadrolu mesleği mühendisliktir. Biz esas oğlanın bu seferki versiyonuna Fikret diyelim. Fikret ezik ve mahcup bir delikanlıdır ve aşırı derecede mühendistir. Neredeyse banyoya bile T cetveliyle girer. Evde kendini besleme gibi hissettiğinden evin biricik kızı Müjgân'a aşkını ifşa edememektedir. Çünkü "Seviyorum seni. Hep sevdim." diyebilmesi için para, mevki gibi şeyleri yoktur. Tabi Müjgân da Fikret'i seviyordur ama senaryo gereği şımarık ötesi olması gerektiğinden, onu sürekli "T cetveline baaaak, yağlı kabaaaak. Burnuuu uuuzun kepçe kulaaak…" şeklinde aşağılar. Bir süre sonra "ayy canım verem çekti" gibisinden eski Türk filmlerinin moda hastalığı olan vereme yakalanır. Seyircilerin vicdanının kullanma tarihini kontrol etmek için, Ace'yle yıkanmış bembeyaz bir mendile var gücüyle öksürerek "Hiiii! Kannn!" der. Müjgân mendilleri tek tek kirletirken bu esnada Fikret atağa kalkar. Ünlü bir mühendis olup, filmin yaklaşık beş dakika kadar bir süresi içerisinde, ortalıkta ne kadar şirket varsa hepsinin hisselerini alıp Dow Jones borsasını alt üst eder. Bu sefer de Müjgân'ın ailesi bakkala veresiye yazdırmaya başlamıştır. Nihayet kızın babası iyicene batar ve tahterevalli misali Fikret hepten bir yukarı sıçrar. Müjgânların evini dahi satın alır. Müjgân hem yeni ev sahibiyle tanışmak hem de "Yahu bari bulaşık leğenini bırak be." demek için Fikret'in ofisine gider. Bu sefer Fikret koltuğunda döner ve "Evet. Ben. Bir zamanlar kapınızdan kovduğunuz fakir ama onurlu genç…" der. Fakat pişmiş tavuğun başına gelmeyen şeyler başlarına geldiği halde, film gene de oğlanla kızın yanak yanağa verip ekrana "mutluyuz, gururluyuz" gibi bakmasıyla sona erer.

Ve eski Türk filmlerinden birçoğu hayatımıza yerleşmiş birkaç cümle:

"Sizi çok sevdim amca. Size baba diyebilir miyim?"

"Anne neden ağlıyorsun?", "Ağlamıyorum yavrum. Gözüme toz kaçtı."

"Durunn! Bu nikâh kıyılamaz!"

"Düşman beldenin yaman güzeli!"

"Yıkıll karşımdan!"

"Savulun alçaklarr! Korkun tırsaklarr!"
"Evet. O kalleş kelleni kancık bedeninden koparmaya geldim."
"Hiii! Abimm!"
"Nayır nayır! Kör oldum. Göremiyoruum!"
"Görüyoruum! Görüyoruuum!"
"Bu sesss! Bu sesss!"
"Sen kaç. Ben onları oyalarım."

sinekli hipermarket

Biz neden böyleyiz sevgili okurlar? Yani neden, basit, parmak kadar bir çakıya satır muamelesi yapıyoruz? Hayallerimiz mi abartılı, yoksa bakış açımız mı hipermetropik?

Mesela sigaranızı yakmak için arkadaşınızın birinden ateş istediğinizde, arkadaşınız neden çakmağını cebinden beylik tabancasını çeker gibi çıkarıp, sigaranızı fırtınada tutuşturuyormuş gibi yakıyor? Hatta bunu o kadar iyi yapıyor ki o kaynar havada saçlarını uçuşurken görebilmeniz bile mümkün. Veya eline oyuncak tabanca geçiren bir oğlancığın aldığı tipi neden Polat Alemdar'dan aşağısı kurtarmıyor? Verdiğim bu örnekler, aslında toplumumuzda ilerlemiş ve kronikleşmiş bir vakanın ilk komplikasyonları. Ama neden yani neden, hiç düşündünüz mü? Ben iyi bir halt edip düşündüm. Neden'in -'den'ini atıp bunun 'ne'- olduğu buldum ve başım göğe erdi. Kalemin arkasını yediğime göre bu bir sorun. Fakat çözümsüz sorunu n'apiyim? Bu bir keşif mi şimdi? Ortalık zaten çok bilinmeyenli denklemden geçilmiyor. Bir sorun alana yanında çözümü de bedava verseler tamam, hep birlikte kafa patlatalım. Ama yok sevgili okurlar, yok. Anlam veremediğiniz şeyleri fazla didiklemeyeceksiniz. Bu tür durumlarla karşı karşıya geldiniz mi kaşlarınızı çatarak korkunç bir kahkaha atıp, ufaktan bir sinir krizi geçirerek gelip geçiniz.

Sorunun adı MÜBALAĞA. Halk arasında "şişirme" olarak da geçen bu defolu huy, her kesimden insanda gözlemlenebilir. Son zamanlarda gözüme özellikle çarpan bu şişirme vakaları beni hem güldürüyor hem de buna neden olan şeye karşı hırslanmama neden oluyor.

Küçük bir mahalle bakkalı düşünün. Vitrin camına muhtelif marka sigaralar yapıştırılmış, yine aynı camın alt bölümüne monte edilmiş, dışarı doğru çıkıntılı küçük kuruyemiş pencerecikleri bulunan bir çerez büfesi, kapısının önünde rengârenk çitosların bulunduğu bir kanser standı, meşrubat kasaları falan. Raflarında küçük boy Alo, Omo, çay, sıvı yağ bulunan ve peynirle karışık sucuklu bisküvi kokan bir dükkân. "Bu nedir?",

"Bu bir bakkaldır." ilkokul fişiyle de anlatabileceğimiz çocukların "bi şeyci"si. Bir bakışta orda bulunan her şeyi görebileceğimiz küçük, ürkek bir niyet. Kısacası bildiğimiz "Sinekli Bakkal" işte. Amaaa, kapısının üstünde, üstelik plastik yapıştırma harflerle yazılı bu bakkalın adını okudunuz mu? Okuduysanız "Ya bu bakkal ya da ismi yalan." diyorsunuz. Bu, ne sorarsanız "Yok.", "Kalmadı.", "Birazdan gelicek, biz eve yollarız abla." cevabını aldığınız, dört bilemedin beş müşteri kapasiteli bakkalın adı TURKUAZ ALIŞVERİŞ CENTER.

Buyrun! Okullarda, okul aile birliklerinin para toplama çabalarından biri olan çekiliş etkinliklerinde, her veliye mutlaka hayatında bir kere kakalanmış kocaman, parlak ambalajlı bir kutudan fil çıkması beklenirken küçücük bir Yeşil Çivril sakız çıkar ya, işte aynen öyle bir durum. İmkânlar küçük, niyetler büyük olunca durum böyle komik oluyor işte. Aslında neden komik oluyor? O bakkalın sahibinin hayal kurmaya, büyük niyetlere meyletmeye hakkı yok mu? Tabii ki var. Ama küçük imkânlara sahip bir bakkala "Madem kendisi hayale uygun olamıyor, bari adı hayale uygun olsun." mantığıyla hayallerdeki marketler zinciri tabelası yapıştırılınca böyle de matrak olur işte. Minnacık, tek kulaklı, kuyruğunun yarısı kopuk bir kediciği Nepal kaplanı diye tanıtmaya kalkarsanız böyle gırgır oluyor böyle. Millet yutmuyor tabii, ama herkes, içinde yatan aslana acıdığı ve onu bir nebze olsun okşamak istediği için, böyle yerleri görünce kısa bir iç çekiyor ve bir kısa Samsun alıp çıkıyor.

Zamanla göz alışıyor tabi. Fakat bilmediğiniz bu yere, tarif üzere bir küçük yoğurt ve iki ekmek almak üzere yollandıysanız biraz sorun oluyor. Siz, tarif edilen adreste fellik fellik alışveriş center arayadurun, o centerin kasası kadar bir bakkal uzaktan hâlinize bakıp kıs kıs gülüyor. Oranın yerlisi değilseniz, bu yöresel mekânı ve onun gönüllü inanılmış yalanını nereden bilebilirsiniz ki? Sokağın kedisine ve delisine bile yol sorarak madara olmanız kaçınılmaz.

Ortada böyle o kadar çok, binlerce parçası eksik yap-boz var ki, artık zamanla siz de olayı kanıksıyorsunuz. Bence bunun hiçbir mahzuru yok. Bu ekonomik düzen, insanlara, hayallerini gerçekleştirebilecekleri imkânları sağlamaya niyeti olmadığına göre, millet hangi etiketi nereye isterse yapıştırabilir. Hiç mühim değil. Ama mizah konusu olmayı da göze almak kaydıyla.

Ünlü masalcı Andersen'in hayal gücü tarafından atılmış birkaç etiket daha sunmaya devam edelim.

Geçenlerde bindiğim bir şehir içi otobüsünde, "Ömür biter yol bitmez." diye mızırdanıp, yoldaki tabelaları sayarak yolu kısaltmaya çalışırken, birden önümüzdeki otobüsün arka camında bir reklâm gördüm. O da ne!!? YAĞMUR İNDİRME SİSTEMLERİ. Beh beh beh! Yine de şahlanıyor aman, Kolbaşı'nın yandım da kır atı! Nasıl teknolojik, nasıl dünyalar arası! Sizce bu ne? Bence, gökten inen her yağmur tanesini, daha bulutundan kopar kopmaz tek tek havada yakalayıp kazasız, belâsız, güvenlice yere indiren, kozmik, dijital, süper, mega, ultra bilmem ne sonic bir teknolojik sistemler harikası. Yani ilk böyle göründü gözüme. Ama sadece gözüme... Bu, ilk görüldüğünde, insana ceketinin düğmelerini ilikleme hissi veren, sanki büyük bir halt süsü verilmiş fiilin faili, OLUK. Yani, çatıda biriken yağmur suları duvarı çürütmesin diye çatı kenarlarına döşenmiş ve çatıdan kendisine doğru akan yağmuru yine kendisine bağlanmış bir borudan aşağı yerçekiminin insafına koyveren, o da bir zahmet aşağı kadar indirip, suyu boşalttığı yerin içine şaaapp diye basıp paçalarınızı ıslatacağınız bir göl hâline çeviren, bildiğimiz oluk. Hepsi bu. Hadi bilemediniz en fazla el değmeden hazırlanmış olsun. Bu isim insanın aklına en az kırk yıl düşünse ancak gelebilecek türden. Olukçu tabir edilen bir dükkân olmadığına göre, bunun bir nalbur reklâmı olabileceğini düşündüm. Daha yakından okuyabilmek için şoförden arabaya yanaşmasını bile rica edecektim ama şoförün yaptığı hatalı sollama ilk kez işime yaradı. Bu büyük yazının altındaki minicik yazılar gerçeği ele veriyordu. "Her boy çivi, sönmüş kireç, testere bulunur. Ayrıca itina ile kilit açılır." ve tabii YAĞMUR İNDİRME SİSTEMLERİ. Hey heeeyy! Eğer oluklarınızı bu nalbura yaptırırsanız, "Bizim çatıya yağmur indirme sistemleri döşettik." diye konu komşuya hava da atabilirsiniz.

EMMOĞLU EĞLENCE PLAZA... Sanki, sanki böyle nasıl desem, şu Amerikan filmlerinde gördüğümüz ünlü bir Vegas kumarhanesi. Büyük bir arazi üzerine kurulu, içinde vıcır vıcır kumar makinelerinin ve masanın başında sürüyle ciddi suratlı krupiyenin bulunduğu, bol ışıklı, yerleri kırmızı halılı, tavanı gizli kameralı ünlü bir eğlence merkezi. Durun öyleyse! Taş çatlasın kırk elli metre kare, camlarında içerisini gösterebilme süresi dolmuş, içerideki nikotin ziftinin müsaade ettiği kadar isli, leş gibi bir tül, dışarıda boş meşrubat kasaları ve kapısı açıldıkça aynen tencerenin kapağı açıldığı zaman dışarı çıkan buhar gibi duman fışkıran bir kanser ve verem üretim merkezi. Kişi başına düşen yaşam oranı sıfır olan bir yer. Ruletlerden, makinelerden, ciddi suratlı krupiyelerden eser yok. En fazla birkaç işsiz güçsüz insanın kirli sakallarıyla pişpirik ve şakır şukur okey oynadıkları ve sanki piyasada sadece bu mekânın sahibine satılmış kahredici bir kaset çalan bildiğimiz kahve. Halk arasında "kaaave". Kadınların kocalarına "Gene nereye, kaaave'ye mi?" dedikleri, iş güç sahibi olmanın ve sigara içmemenin yasak olduğu bir yerceğiz.

Cânı gönülden diliyorum ki, insanlar en kısa zamanda isteklerini gerçekleştirebilecek ekonomik imkânları elde ederler de, hayal güçlerini kullanmak zorunda kalmazlar. Umarım, insanların ya yorganları uzar ya da ayakları yorganlarına uyar. Başka ne diyeyim...

Mine Tolstoy gururla sundu. (Bir de ben deneyeyim dedim.)

iftara gider iken!

– Şöfer bey sahura yetişebileciyz diy mi?!!
– Kusura bakma abla. Daha arabaların üzerinden atlayamıyorum. Şimdilik henüz sürüyorum. Zamanla artık.
– Bey oğlum, iyi de iftara on dakika kaldı yavv. Pideler soğudu burda.
– N'apayım bey amca. Üfleyerek ben mi soğuttum? Herkes aynı anda iftara gidiyor. Trafik tıkalı işte. Yapacak bi şey yok.
– Olmaz ki canım.
– Ne olmaz ki?

– Aynı anda çıkmak şart mı yahu! Sırayla çıksınlar yola. Bu ne bencilliktir! Yollarda kaldık baksana. Teyzen çatlamıştır şimdi evde.

– İyi de amcacım iftar saati herkese aynı. Herkes aynı anda oruç açacak, bunun sırası mı olur? Teyze de bu akşamlık çatlayıversin artık n'palım.

– Dooru konuş, dooru konuş. Sen de yaşlanacaksın bir gün. Seni de görücem ben.

– Haydaa konuya bak yaa. Trafik tıkanıklığından yaşlılar haftasına geldik. Güzel amcam, bak üstüme gelme. İnan, teyze çatlamazsa ben çatlıcam ama haa.

– Çok konuşma, sür sür.

– Nereye süreceğimi de söylesen amca. İki saattir öndeki arabanın plakasını okuyorum. Hadi senin hatırın için bir santim süreyim. Hah sürdük oldu mu? Sen şimdi iftara yetiş diye, "Ooo bey amca geliyo…" diyerek millet tekerlerinin üstüne mi kalksın yani?

– Şöfer bey ben müsait bir yerde inebilir miyim?

– Müsait bir yer görürsen bana da söyle, ben de ineyim abla. Hayret bi şey ya. Görmüyo musun ablacım sağ sol araba vızır vızır. Yolun ortasındayız. Açamam kapıları hiç kusura bakma.

– Kardeş açar mısın incem yaa. Aaaa!

– Nerden incen abla, nerden ha? Gözünü seveyim bi söyle. Dellendirmeyin insanı ya. Yolun ortasındayız diyorum. İner inmez pide gibi olursun. Bi de seninle mi uğraşıcam akşam vakti. Çıkabiliyosan tavandan çık. Çattık yaa.

– Kardeş sen biraz sakin olur musun bakiym. Sigara başına vurdu galiba.

– Sigarayla durağın ne alâkası var şimdi, söyle bi bana söylee? Ablacım durak yok duraaak. Ben sigara içsem de yook, içmesem de yook yok.

– Şu hâle bakın mirim. Bu trafikle bir de AB'ye gireceğiz ha.

– Biz de trafiğimizle gireriz n'apalım bey amca.

– Arkadaşım bakar mısın! Para üstü kaldı, alabilir miyim?

– Bozuk yok kardeş, dur bozulsun.

– Ne zaman bozulcak abi. Bineli yarım saat oldu. İnecez şimdi, hâlâ alamadım. Sanki Japon Yen'i verdik ya.

– İnecekmiş. Bekle inersin sen bu arabadan, beklee. Pideler de soğudu burda yahu.

– Ya amca sanki var ya, burda resmen yolcu otobüsü kaçırmış terörist durumuna soktun beni ha... Arkadaşım, sen de ağır ol bakalım. İnerken alırsın dedik. Erken indirmiyim şimdi seni!

– Offf mahvoldum ben. Abi çabuk ol biraz ya. Acayip geç kaldım eve, annemler kızacak ya.

– Dur ben bir koşu gidip annenlere haber vereyim merak etmesinler seni. He olur mu öyle? Hayyret bi şey ya. Sen de annenlerle bineydin o zaman. Biz de mahsur kaldık burda.

– Kardeş incek var dedim, aç şu kapıyı. Çince mi konuşuyoruz biz burda be. Yürüme gidicem eve. Yoksa bayrama kadar burdayız. İş öyle gözüküyo.

– İn ablacım. Peki buyur in. İner inmez yapış bi kamyonun tekerine, çabucak yetiş eve hadi.

Açıyorum kapıyı. İtin ablayı, daha çabuk gitsin eve... Hasta mıdır nedir ya?

– Bana bak, doğru konuş benlen. Hanfendi var senin karşında ayı. Düzgün konuş geri zekâlı aptal herif seni.

– Hanfendiye de bakın be. Sırf öz Türkçe! Senin kadar düzgün konuşamıyorum ablam şükürler olsun. Ama şimdi ben ramazan topuyla beraber biiir patlıcam var ya. Herkes evine saçılacak burdan.

– Yahu nerden de bindik bu otobüse. Pideler buz oldu buzz.

– Niye bindin, binmeyeydin. Yayan gideydin. Seneye iftara rahat rahat yetişirdin.

– Aha ezan mı okunuyo? Evet, yeminle ezan... Hah buyrun, kaldık burda. Ahhh Mübeccel çatladı evde çatladı. Hep senin yüzünden hep... Adam gibi sürmüyosun ki.

– Ezan değil amca o sela selaa. Vakit tamam artık! Mübarek vakitte gideceksin. Eeevet, ön tarafa dooru teker teker ilerleyelim beyler. Oruç açıcazz!!

karne...

Sağlık karnemin vizesini yeniletmek maksadıyla gereksiz evrakların alındığı gerekli bir merciin kapısını çaldım. Fakat kapının ardındaki adam sanki kapısını ürkerekten mors alfabesi kıvamında çalmamışım da, hakikaten kapıyı çalıp, bir güzel omuzlayarak yükleyip götürmüşüm gibi baktı yüzüme. Kolay gelsin diyecektim ama, aman yanlış manlış anlar, bir de hakaret addedip "Esas sana kolay gelsin be!" der diye bir şey diyemedim. Neyse ben "se... se..." diye mikrofon provası yapan ses sanatçısı gibi konuşmaya hazırlanırkene adam yüzüme baktı. "Ne var gene, ne?" diyesi vardı sanki. "Sağlık karnemin vizesi bitti. Yeniletmek için gerekli evrakları isteyecektim. Kızmadınız ya?" dedim. Tabii ki "Kızmadınız ya..?" kısmını içimden söyledim. Bana, neredeyse beş ortalı harita metot defteri kalınlığında, kendisinin evrak dediği, benim ise AB'ye giriş formları olarak gördüğüm bir tomar kâğıt uzattı. Ve başladı izah etmeye. Sigorta il müdürlüğüne, valiliğe, belediyeye, vergi dairesine, tapuya, muhtar emmiye, bakkala çakkala, mavi yunusları üretim çiftliğine, yetim çekirgeleri koruma derneğine vs vs vs... Sesi kulaklarımdan iyice uzaklaştı. Dondum kaldım. "Ama beyfendi, ben bunları iki kıytırık antibiyotik için yaptırmaya kalkarsam verem olurum. Zaten nerden baksak, bu evrakları hazırlamaya şimdi başlasam bir dahaki vize tarihine kadar anca son bulur bu işlemler. Sonra haydaaa sil baştan." der gibi baktım. O da bana "Buldun da bunama." der gibi baktı. Hiç ses çıkarmadım. Çünkü orda Hamlet'in ünlü ibret sahnesinde olduğu gibi elime bir kafatası alıp, "Eyy faniilerr! Ölümlü dünyada yapmayın bu işkenceyi bana!" diyerekten bir oyun sergileyip vicdan dahi yapsam bir işe yaramayacağını biliyordum. Elim müebbet mahkûmdu.

Ve start verildi. Yarışma başladı. Önce vergi dairesine gittim. Sadece, "Vergi mükellefi miyim acabağ?" bölümünü "Hayır, değilsin." biçiminde onaylatmak için. Lâkin bir anda karşımdakileri "İki gözüm önüme aksın esnaf değilim yaa!" diye mükellef olmadığımı ispatlamaya çalışırken buldum. Bereket versin, orda bir arkadaş sosyal güvenlik numaramdan izimi buldu da hiç olmayan vergi levhamın "olmadığı" anlaşıldı.

Ordan haydin belediyeye. Orda da kendimi değişik açılardan ispatlamaya çalıştım. İşin kötü tarafı belediyece bilmediğimden jetonlarım biraz geç düştü ve işim bittiğinde her Türk vatandaşının dediği gibi "Ehh bir dahakine ben sana gününü gösteririm." gibi tesellilerden bir adet kullandım.

Özellikle 7-8 yaşlarında, tam tokatlık kız çocuklarının dediği gibi "ondan sooonacııma" ordan muhtar emmiye gittim. Muhtar emmi diyorum çünkü muhtarın adı Emmi. Neyse o da ihtiyar heyetini topladı. Jüri heyeti, konsül üyeleri ve değerli basın mensupları da hazır bulundular. Sağ olsun muhtar bana bir çırpıda inandı. Ordan ver elini sigorta. Asansörler bozuk olduğu için merdivenlerde bir süre Rocky 4 filmini çevirdim. Nihayet en tepedeki kata kan ter için de varıp, görevli arkadaşa elimdeki kâğıdı uzattım. Lâkin kendisi telefonda, yeni aldığı ve kendi tabiriyle "Ayy şekerim bir görsenn, böööle tiril tiril..." dediği selanik örgülü kırmızı kazağı iştahla anlattığı için kendisini zevkle(!) epey bir bekledim. Nihayet ya kazağı tarif etmeye doydu ya da kulaklarımdan çıkan dumanları fark etti artık bilemiyorum, telefonu kapatıp benimle ilgilenmeye karar verdi ve evrakı imzaladı.

Ordan da ne alâkaysa işte tapuya gittim. Yani kanımca bu şunu ispatlamak içindi: "Bu vatandaşın evi varsa mutlaka ilaçları alacak parası da vardır. Öyleyse haydin ona sağlık karnesi vermeyelim." Tabi. Sağ olsun müteahhit evimizi yaparken salonun duvarlarını antibiyotikten, mutfağı vitamin kompleksinden, banyoyu da Vicks'ten yapmış. Ayrıca diğer duvarlarda da ATM var. İstediğiniz anda para çekebilirsiniz. Neyse, ordan da vilayete geldim. Ne yazık ki bilgisayarlar bozulmuş, bilgileri sayamaz hâle gelmiş, öyle derin dondurucu gibi duruyor. Haydiiii öğleden sonraya kaldım. Tabii kuyruktaki hiç kimse babasına dahi güvenmediği için, aman yerim kapılmasın diye tüm öğle tatilimi onlarla birlikte sırada, cep telefonumun atarisinde yılan oynayarak ve "N'olcak bu memleketin hali yavv?" konulu bir açık oturumu dinleyerek geçirdim. Neyse zil çaldı. Yarışma başladı ve memur arkadaşlar kaldıkları yerden azarlamalarına devam ettiler. Soy ağacımın hayat bilgilerini aldım ve ordaki işim de bitti. Simbad masallarında olduğu gibi Zümrüd-ü Anka'ya ulaşmak için son vadiden de geçmiş oldum böylece.

Nihayetinde son durak kara toprak sanırkene işlemleri tamamlamıştım. Başladığım noktaya geri dönüp ilgili memura evrakları sunacaktım kiiii, kendisi bana "Bayan yanlış yere sunuyosun. Birinci katta Hamdi Bey var. Git ona sun!" dedi. Neyse kalan son hücremle Hamdi Bey'e gittim. Lâkin Hamdi Bey'i Hamdi Bey olduğuna ikna etmem çok güç oldu. Beni sürekli kendisini tavsiye eden kişiye yollamaya çalıştı. Ben de "Pardon, Hamdi Bey siz değil misiniz? Yolladığınız kişi beni size yolladı." dedim. "Ne bu ya Hügo mu? Kaç puan aldım bari onu söyleyin." kısmını içimden söyledim. Ve kendisi bana "Kardeşim Türkçe bilmiyosun galbaa. Yukarı, yukarı!" diye çemkirdi. Tam o esnada arkamda bulunan ve içine fenalıklar gelmiş bir amca, "Memur Bey, sağ olduğumu hangi masaya ispatlayacaktım?" diye sordu. Memur da, "Soldan ikinci masa amca. Meşe kaplama olan. Kaç kere söyliycem yaaaa?" deyince bir an durdum. Beterin beteri varmış diye düşündüm. Neyse tekrar en üst kata çıktım. Hamdi Bey'i Hamdi Bey olduğuna ikna edemediğimi söyleyip durumu izah ettim. Hayret ki biri beni anîden anladı. Çilem dolmuş muydu ne? Elimdeki kâğıtları aldı, "Hı hı.. hı hı.." diyerekten, sen şakk diye diye imzalamaz mı? Gözlerime inanmadım. Yaşasıııındı artık. Şampiyon olmuştum. Beynimde havaî fişekler patladı. Sonra annem gelip beni uyandırdı, "Meğer hepsi rüyaymış…" diyerek size yalancıktan bir final yapabilirdim ama ne yazık ki değildi.

Zaten rüya değil ancak harika bir kâbus olabilirdi bu durum. Sağlık karnenize sağlığınızdan daha da iyi bakın…

komp"l"ozisyon!

"Her sakallıyı deden mi sandın?" sözünü kompozisyon şeklinde açıklayınız.

Sakal erkeklerin çenesinde çıkan bir tüy çeşidimizdir. Çok uzayınca bıçakla keserler. Çünkü çok uzarsa saç gibi olur. O zaman da toka takmak gerekir. Erkekler toka takmazlar. Toka takarlarsa kız olurlar. O zaman da sakalları çıkmaz. Dedelerin sakalı olur. Zaten sakallı, ponponlu takke takan, ceketinin içine yelek giyen, cebinde torunlarına sakız taşıyan, bastonu olan, camiye giden, bi de maaş kuyruğuna giren, dönerken de bana dondurma alan yaşlı erkeklere "dede" denir. Dedeleri sevmeliyiz. Ama severken ağlatmamalıyız. Benim dedem azcıkın seveyim, hemencecik ağlar. Sonra "Ağlama dede." derim, sakalını severim. Sonra hemencecik susar. Dedelerin sakalı olmalıdır. Yoksa dede olmazlar. Dede olmazlarsa torunları da olmaz. O zaman da onlara kimse "dede" demez. Bayramlarda kimse ellerini öpmez. Öpmezsek, saygılı olamayız. Saygılı olmazsak, terbiyesiz oluruz. O zaman da anne babamızın tepesi kızabilir. Tepesi kızarsa tokat çakabilir. Çakınca da ağlarız. O yüzden dedelerin sakalı olmalıdır.

    Ben bir gün yaşlı bir erkek görmüştüm. Ama sakalı yoktu. Bu erkeğe ne diyeceğimi şaşırdım. Amca desem genç değil. Böyle yüzü kırışmış, bastonlu felan. Yeleği bile vardı. Ama sakalı yoktu. E ben şimdi buna ne diyeyim? Teyze mi diyeyim? Teyze değildi ki, başörtüsü yoktu çünkü. "Hişş yaşlı erkek!" mi diyeyim? O zaman da ayıp olur. Yaşlı erkeğe de yazık. Kalbi kanar, üzülür, günaha gireriz. Annem "Yaşlı insanların kalbini hiç kanatma, çok günah olur, cehennemde yanarsın." demişti. Ama annem bi keresinde dedemin kalbini çok pis kanatmıştı. "Ne zaman ölecek bu yaa? Başıma belâ kaldı öfff!" demişti. Dedem de bunu duydu. Kalbi çok kanadı. Ben de dedem ağlamasın diye yalan attım. "Dede" dedim, "annem bana dedi, bana dedi." dedim. Çünkü bi keresinde ayağıma haşlak su dökülmüştü, çok pis yanmıştı. Baloncuk olmuştu böyle, su toplamıştı. Yere basınca hep böyle vırk vırk yapıyodu. Sonra patladı. Patlayınca su çıktı, çorabım ıslandı. Ama annem haksızdı. Dedemin sakalı var, yaşlı bir erkek olduğu belli. Niye belâ diyosun ki? Kalbi kanadı işte n'olcak şimdi? Bant mı yapıştırıcaksın anne? Akşam babam geldi işten. Hemen terliklerini verdim. Çünkü saygılı olmak terbiyeli bi şeydir. Babam yaşlanıp sakalları çıkınca dedem olucak. O zaman da terliklerini vericem. "Buyur dedecim." dicem. Vermem lâzım. Çünkü vermezsem kalbi kanar, sonra cehennemde yanarım. Babam, sakallı dedeme "Baba neyin var, niye moralin bozuk?" diye sordu. Dedem de dedi ki, "Oğlum romantizmalarım azdı da ondan." dedi. Dedem kafadan attı biliyorum. Çünkü doğru söylese evde kavga çıkar. Tabaklar felan kırılır. Zaten annem kaç kere evden gitti. Sonra babam gitti getirdi. Dedem de çok ağladı. Öyle çok ki sakalları ıslandı böyle, öyle çok. Ondan yalan attı işte.

    Bi de bizim mahallede bir çocuk var öğretmenim, salak mı ne? Ama bi dakka durun baştan anlatayım. Şimdi benim dedemin adı Osman, tamam mı? Bi de ben dedemi çok seviyorum, böyle sakallı felan. Bu salak çocuğun dedesinin sakalları yok, aynı kız gibi. İşte onun için beni kıskanıyo öğretmenim. Beni ne zaman görse "Yalancısın inanamam Osman agaa…" diye eşek gibi bağırıyo. Bi de çistak çistak yapıyo böyle sinir sinir. Iyyy gıcık oluyorum ona. Bi de şeye uyuz oluyorum öğretmenim. Herkes sakallı diye benim dedeme "dede" diyo. Niye dede diyosun ki, senin deden mi? Her sakallıya dede denmez ki. Hem o benim dedem, sen de nerden çıktın be? Ben kimsenin sakallı dedesine "dede" demem. Çünkü ben dedemi sakallarından tanırım.

ab , abc . . .

– Rıfat kalk çabuk şu sineği öldür.
– Gecenin bu vaktinde elimi kana bulayamam şimdi.
– Elini bulama o zaman kafanı bula. Kalk, kafa mı atıcan, gaz mı sıkıcan n'apıcaksan yap, sustur şu borazanı ya.
– O senin sineğin Fitnat. Kalk kendi sineğini kendin katlet. Sen ver terbiyesini. Bak benimkine, içti kanını, doyurdu karnını, zzz zzz uyuyo kolumda. Ayrıca lütfen kıpraşıp durma. Hayvanceyizin üstü açılıyo.

– Tabii, hayatımız ortak ama sineğimiz ayrı diy mi Rıfat?

– E bir yerde öyle tabii. N'apalım her koyun kendi bacağından burkulur.

– Yok menisküs olur. Burkulur değil o, asılır asılır.

– Hayır efendim burkulur. AB'ye girmek istiyorsan bundan böyle burkulacak. Yok öyle asma kesme falan. Kalktı onlar artık. Oğaauaaa! Ay nasıl uykum geldi. Haydi iyi geceler.

– Ne o öyle Rıfat, Afrika aslanları gibi? İnsan kibar olur biraz diy mi? Lütfen eşine karşı biraz daha saygılı ol bakiyim. Bak tek başıma girerim AB'ye, seni öylecene bırakırım kapının önünde, "N'ölüyörr yahuu?" diye bakınır kalırsın. Hem kime diyorum ben? Kalk şu sineği öldürcen mi, kaset mi çıkartıcan n'apıcaksan yap. Enikonu uzun hava çalıyo yaa. Sanki mikrofon yutmuş.

– Sus şimdi hayvancık klip çekiyo. Uyuycaksan uyu, çekimleri bozma lütfen.

– Uyuyabilsek uyurduk diy mi Rıfat? Ayrıca senden önce uyudum uyudum, uyuyamadım sabaha kadar baykuş. Seninkisi horultu değil ki, ressmen yanardağ patlaması.

– Çemkirme kocaya AB'ye giremezsin bak.

– Sen bu işi biraz abarttın gibime geliyo ama hadi neyse.

– Abarttın deme kocaya AB'ye giremezsin bak.

– Dalga geçiyosun diy mi benimle? Yazıklar olsun sana Rıfat.

– Yoo, ne dalgası Fitnat? Olayın kendisi dalga zaten... Akşam pazardan aldıklarına baktım da

AB'ye giriş maddelerinin tamamını çiğnemişsin. Salatalıklar 10 santimden uzun. Domateslerin çapı 8 santimden kısa. Biberlerin rengi desen koyu yeşil değil. Sooora peynir 10'a 10 ebatlarında ve küp biçiminde değil. Akşam kızın eve geç kalınca nerde kaldın diye telaşlanıyosun. Balkondan mahalle arasına çamaşır asıyosun. Wall Street'te, gökdelenlerin arasına benim çizgili pijmalarımı, oğlanın şortlarını astığını bir düşünsene? Yakışır mı hiç? Ee haliyle orda olamayan burda da olamaz diy mi?

Ayrıca oğlunun ayakkabılarının bağcıkları sürekli açık ve arkasına basıyor. Kızın desen sokağa çıkarken çıkış kapısını kullanıyor. Sen desen çorbayı kaşıkla içiyosun. Üstelik de yutuyosun. Ben desen eve ekmek getiriyorum. Tüm bunlar yetmezmiş gibi bir de bayrağımızda ay var. Hadi hepsi bir yana o ay'ı kaldırsak bak o zaman nasıl Buckhingam sarayında kokoreç bile yiyoruz. E hiçbir şartı yerine getirmiyoruz ki. Yutmuyo tabi elin Avrupalısı. Hele o ay, hele o ay. İpe ne kadar un serseler haklılar inan olsun. İşlerini biliyo adamlar.

– Anladık anladık. Gecenin üçünde toplumsal mesaj verme bana, kapandık. Hem sen de kokoreç yiyosun bak. Sen gene AB'yi hepten unut. Her şartımız tamam olsa bile sırf senin kokoreçinden giremeyiz be.

– Oooo, orda dur bakalım Fitnat Hanım. Kokoreç bi yana dünya bi yana tamam mı? Almazlarsa almasınlar be. Onlara yalvaran yok. Ben de kalkar

RB'yi, yani Rıfat Birliğini kurarım, kendime üye olurum ne var? Kalmadık kimsenin birliğine.

– İyi kur. Sinek bi yandan sen bi yandan iyice uçtu uykum. Al benimkini de uyu bari.

– Herkes kendi uykusunu uyusun lütfen. Senin uykun bana bir beden bol geliyo. Hadi hadi hadi, bak sabah erkenden AB'ye girecez. Çabuk uyu.

– Boş adamsın boş.

– Ööle hışımla çekme yorganı AB'ye giremezsin bak.

– Yeteeerr!

abukat..!

– Doktor olduğunuzu ve on yıldır dâhiliye uzmanlığı yaptığınızı biliyoruz. Tıbbı mı bitirdiniz?
– Yok, ben tornacılık bölümünden, son gün tıbba yatay geçiş yaptım, diplomayı kaptım... Herhalde tıbbı bitirdim. Anlamadım ki sorunuzu ben şimdi!
– Abi sus bırak, anlama. Sık dişini, ne diyosa he de. "Abukat" derler bu adama. Ne kadar abuk sabuk soru varsa sorup delirtir. Meşhur Ziver Sorguç bu. Bu adam savunmayı bırak, savurur insanı. En son davasında biri intihar etmiş. Mahkemenin

ortasında benzin döküp çatır çatır yakmış kendisini.

– Kaza sırasında yalnız mıydınız yoksa bir başına mıydınız?

– Hayır, ikisinden de değildim. Karımı doğum için hastaneye yetiştiriyordum.

– Peki, karınız yanınızda mıydı?

– Yok evdeydi. Karımın dublörünü aldım, hastaneye yetiştirme provası yapıyorduk. Yahu herhalde yanımdaydı. Onu hastaneye götürürken, arabadan başka nerde olabilir sizce?

– Demek kaza sırasında arabayı siz kullanıyordunuz. Peki direksiyonda siz mi vardınız?

– Hayır, arabayı kullanıyordum ama direksiyonda değildim, evdeydim. Arabayı trafiğe saldım, uzaktan kumandayla sürüyordum. Sonra kumandanın pili bitti. Durunca gelen çarptı, kaza oldu.

– Sayın Hâkim! Sanık, arabayı evden kullandığını söylüyor. Verdiği cevaplardaki anormallik, aklî dengesinin ne denli bozuk olduğunu açıkça gözler önüne sermektedir... Daha önce birkaç kez intihar girişiminde bunduğunuzu biliyoruz. Peki, hiç başarılı oldunuz mu?

– Oldum, evet. Duruşmaya da ahiretten katılıyorum. Ayrıca bu sorulara deli olduğum için değil, delirmemek için böyle cevaplar verdiğime dikkatinizi çekerim ey cemaat, aman sayın mahkeme heyeti.

– Dört çocuğunuz var değil mi?

– Evet.

– Kaçı kız?

– Hepsi kız. Dört kızım var.
– Peki, hiç oğlunuz var mı?
– Haydaa! Ya avukat kardeşim, iyi misin sen? Amacın nedir, nereye varmak istiyorsun?

– Sayın Hâkim, sanıkta zaman zaman ortaya çıkan anî sinir artışı ve az önceki tuhaf cevaplarıyla birlikte verdiği ifadenin ne kadar sağlıklı olabileceğini (!) yüksek değerlendirmelerinize sunuyorum... Peki, size çarptığını iddia ettiğiniz sürücünün eşkâlini tarif edebilir misiniz?

– Kısa boylu, göbekli ve bıyıklıydı. Ayrıca kirli sakalı vardı ve siyah takım elbise giymişti.

– Peki, kadın mıydı, erkek mi?

– Kadındı. Koca göbekli, bıyıklı ve sakallı bir kadındı. Hasta mısın sen kardeşim?

– Sayın Hâkim! Kendisine çarptığını iddia ettiği kişinin dediği gibi bıyıklı bir kadın olmasına imkân var mıdır? Sanığın gerçeklikten kopmuş olduğu ortadadır. Daha kazadan sorumlu tuttuğu kişiyi dahi tespit edemeyen birinin söyledikleri ne kadar geçerli olabilir?

– Ne diyosun sen be! Kaza olduğu esnada gazeteciler geldi, bana çarpanın resmini bile çektiler.

– Peki, size çarpan kişinin resmini çekerlerken o da orda mıydı?

– Hayır, orda değildi. Kendisini orda olmadan çekip dünya tarihinde bir ilki başardılar. Çıldırcam yaa.

– Duydunuz işte! Sanık kendi ağzıyla itiraf etti. Kendisine çarptığını iddia ettiği kişi kaza sırasında orada dahi değilmiş. Peki, olmayan birisi nasıl olur da kazaya sebep olabilir? Eşinizin arabada doğum yapmak zorunda kaldığını söylemişsiniz. Peki, doğum yaptığını nerden anladınız?

– Bebek ağlıyordu.

– Peki, ağlayanın bebek olduğunu nerden anladınız?

– Karım stresten kafayı yiyip bebek taklidi yapmıyorsa ve kucağında sürekli kıpırdayıp ağlayan şey çantası değilse bebektir diye düşündüm... Belâ mısın oğlum sen?

– Sayın Hâkim, bebekle çantayı karıştırabilecek bir algı düzeyine sahip olan sanığın ifadesine nasıl güvenebiliriz? Ortada bebek falan yok. Dolayısıyla olmayan bir bebeğin doğması için hastaneye yetiştirme durumu da mümkün olamaz, değil mi? Peki hiç binilmemiş bir arabayla, hiç çıkılmamış bir yolda, orda dahi bulunmayan biri tarafından arabasına çarpıldığını nasıl iddia edebiliyor?

– Çıkışta görürsün.

– Nahit annene der misin şu televizyonun sesini kıssın biraz.
– Oğlum karına der misin bu gece aranması bir işe yaramıycak. Kendisine uymayı hiiç düşünmüyorum. Televizyonun sesi gayet kısık. Daha kaliteli bir bahane bulsun kendine.
– Sesten pencerelerin camları cızırdıyor Nahit. Annene bir sorar mısın acaba kendisi orta kulak iltihabı mı olmuş?
– Oğlum hanımına bir sorar mısın kendisi gaipten sesler mi duymaya başlamış? Dediği

cızırtı camlardan değil de kendisinden gelmesin acaba!

– Nahit annene der misin kendisi gaipten çok ses duydu galiba. Epey tecrübeli konuştu da. Bir sorar mısın bakıym Napolyon'u da duyuyor muymuş?

– Oğlum hanımına der misin onu bile duyuyorum. Kendisi benim için varla yok arasında bir şey. Söyler misin?

– Nahit annene bakar mısın bakalım varmıymış? Yanında sürekli tuhaf sesler çıkartan toparlak bir şey var ama seçemiyorum kendisini.

– Ööffff! Hanımlar lütfen ya. Televizyon izleyebilir miyiz?

TV- Eski kanepelerinize veda edin. Bize gelin yenisini götürün. Lömbek çek-yat'ları. Evinizin gururu, Lömbek Lömbek.

– Ayyy Naaahiit, n'oolursun alalım şunlardan. Bak bizimkilerin kumaşı zar gibi oldu yaa. Yayları gözüküyor resmen. Zaten evlenirken ilk alındığında acaba bunlara oturulabiliyo mu diye düşünmüştüm!

– Oğlum karına sorar mısın lütfen, acaba babasının evinde daha iyisini görmüş mü? İstemeye gittiğimizde oturduğum sandalyenin üç bacağı vardı. Düşmemeye çalışırken bütün yerçekimi kanunlarını alt üst etmiştim. Dengede durayım derken nasıl olup bittiğini anlamadan kendisini istemiş bulunduk işte. Ahh aahhh! Neyse.

– Nahit annene der misin lütfen babamın evindeki sandalyelerin hepsinin dört bacağı vardı. Kendisi sandalyeye oturma özürlüyse ben n'apabilirim? Hem kendisini tartacak sandalye daha imal edilmedi. Söyler misin lütfen?

– Oğlum karına söyler misin kaç kaburgası varmış bir saysın. O vakitler bize kahve tutarken ben saymıştım ama şimdi unuttum. Yürürken kemiklerinin çıkardığı takırtıdan birbirimizi duyamayıp kendisini tam üç saatte isteyebilmiştik. Zayıflıktan resmen şeffaftı. Bir görünüp bir kayboluyordu. Ona rağmen istedik de böyle bir devlete kondu kendisi der misin?

– Nahit annene der misin, acaba kendisi kilosundan göz kapaklarını aralayacak kadar bile bir boşluk bulamıyordu da ondan karşıdakini seçemiyordu olmasın sakın? Ayrıca o beni gözlerini aralayabilse de görmezdi. Çünkü o devasa hacmiyle odanın tamamını kendisi kaplıyordu.

– Oğlum şu karın olacak kurutma kağıdına bir sorar mısın, acaba kendisi rüzgarlı havalarda dışarı çıkmaya korkuyor muymuş? Büyüteçle arasan gram et çıkmayacağından eminim de.

– Nahit şu anan olacak dev kütleye, kendisinden iki fil, bir balina, üç fok balığı, dört de ördek çıkar ben eminim der misin?

– Nahit şu yanındakine, bizim zamanımızda kaynanamıza saygı vardı. Değil utanmadan ördek fil demek, sorusuna cevap vermeye korkardık. Diller bööle papuç kadar değildi der misin?

– Nahit, şu annene onların zamanında firavunun piramitlerine taş taşımaktan kaynanalarına cevap vermeye hâlleri kalıyomuş mu acaba diye bir hatırlatır mısın? Hiç sesi çıkmasın istiyorsa oğluna neden bir vazo almamış da benim başımı yakmış bir sorar mısın?

– Ehh yeter ama haa. İkinizde kesin sesinizi ne bu be. Bi sen bi o, tenis maçı seyreder gibi oldum. Bakmıyorum ikinize de. Kapayın çenenizi. Kadın milleti değil misiniz, hepiniz aynısınız işte car car car carr. Kafam şişti yeter be yeterr.

– Neee?!! Sana verdiğim emeklere yazıklar olsun evlât bozuntusu. Anneye car car car demek ha? Bak bak nasıl çarpıntım tuttu bak. Aynı babana çekmişsin nankööörrr... Kızım şu kocan olacak ana hainine, artık benim Nahit diye bir oğlum yok, emeklerim haram olsun der misin?

– Car carmış. Tüh yazıklar olsun sana. Bırak bırak, erkek milleti değil mi hepsi aynı işte... Anne şu oğlun olacak nankör kele bütün emeklerim gözüne dizine dursun der misin?

TV- Bütün kadınlar çiçektir. Carko, çiçeğinizin kremi. Her eve lâzım...

elektrikler gitmesin...

"Hiiii! Buyrun işte elektrikler gitti." cümlesini hepimiz kurmuşuzdur. Tabii bu cümlenin illâ ki bu şekilde kurulması şart değildir. Anîden yaptığı iş üzerinde karanlıkta donup kalıvermiş kişilerin ruh hâllerine, huylarına ve sularına göre değişebilir. "Kahretsin!", "Hoppalaaa!!", "Faturayı gene yatırmadın diy mi Peyami?", "Bıktımmm!", "Yaşasınnn!", "Augghhh!!!" gibi de olabilir. Hatta şöyle bir tepki verildiğine de şahit olduğum olmuştur. "Aaaaa! Ayol şakkk diye gitti." Siz hiç elektrikler kesilirken şakk! diye bir ses duydunuz mu?

Yani böyle bir efekt insanın aklına neden ve nasıl gelebilir anlamış değilim. Ya da anîden karanlığa bulanmış insanların en çok verdiği tepki genelde koro hâlinde "Aaaaaa!!" gibi bir tutam sestir.

Akşamları tam sofra başındayken ya da misafirlere çay tutma merasimi başladığında ışıktan anîden mahrum olunduğunda siz seyreyleyin gümbürtüyü. Herkes uslu uslu otururken aynı anda ayağa kalkar. Can havliyle mum arayanlar, karanlıkta el yordamıyla inadına dolanmaya çalışanlar, tangır tungur bir şeyleri devirenler, kafa kafaya tokuşup garip sesler çıkaranlar, "Ayy, şimdi bir de deprem oluyomuş?" diyerek yangına yel değirmeniyle gidenler... Gerçek bir "Titanic'ten kaçış" yaşanır.

Işığın, yerini anîden karanlığa bırakmasıyla sanki "Dooort!" yarışma başlar. Bakalım en çok kim bir şey devirecek, en garip sesi kim çıkartacak, en güzel "Ay ben çok korkuyoruuum." diyecek yarışması. Herkes kendi çapında, ağa yakalanmış balık gibi tepinmeye başlar. Sanki evden giden elektrik orda bulunan insanlara verilmiştir. Mumlar alâkasız yerlerde aranır. Fırın içi, buzdolap gibi...

Nihayet ev sahibi tarafından bulunur ve evde bu sefer de çayda çıra oynanmaya başlanır. Bazıları mum ışığını çenelerinin altına tutarak, yüzlerindeki gölgelenmiş yerlerin korkunçluğuyla, "Hiohahaaa! Bakın kim geldi." diyerek çocuk korkutur.

Vee nihayet elektrikler gittiği hızla anîden, başka bir deyişle şakkk! diye gelir. Herkes yaptığı iş üzerinde donakalır. Yarışma bitmiştir. Kıpraşma kesilir. Az önce debelenenler, ışıktan kamaşan gözlerindeki şaşkın bakışlarını birbirlerine isabet ettirmeye çalışırlar ve o anda bulundukları yerde ne işleri olduğunu anlamaya uğraşırlar. Çünkü herkes elektrikler gitmeden önceki yerlerinden o kadar uzakta ve bir o kadar da anlamsız pozisyonlardadır ki?

Az önce koltukta elinde çay bardağıyla oturanlar, "Peki şimdi ayakkabılığın önünde ne işim var?" veya "Neden ısrarla buzdolabına girmeye çalışıyorum? Bu elbise askılarının elimde, evin babasının ceketinin omuzlarımda ne işi var?" ya da "Neden balkonun mermerine tünemişim?" yahut "Elimde kornej, kafamda tüller neden Moon tarikatı üyeleri gibi oturuyorum?" diye düşünmeye başlarlar. Tüm bunların abuk sabuk da olsa hiçbir manası yoktur.

Peki, neden bu hâllere düşülmüştür? Çünkü ceryanlar gitmiştir. E gitsindir. Ne yanidir. Az önce yaşanan yangın tatbikatında en kocaman vazoyu deviren hiperaktif şahiyet, başlar en sakin, en mantıklı zat repliklerine; "Yahu ne korkak şeylersiniz. Eskiden elektrik mi varmış? Hayret bişeysiniz haa." Bir diğeri "Hakkaten n'apıyolarmış yaa? İki dakka gitti felç olduk. Düşünsenize bi, ütü çalışmaz, buzdolabı çalışmaz, bilgisayar çalışmaz. Ölür insan be." der. (E onlar da ölmüş zaten).

Bu anlamlı sözleri sarf eden kişi tabii ki şaka yaptığının farkındadır. Zaten bu fikirlerden büyüyünce anca şaka olur. Başka da bi şey olamaz. Yalnız bu sözler öylesine inanılarak, öylesine kaliteli bir tesir yayarak söylenmiştir ki, bazılarının acabalı kısık gözlerle bakmalarına neden olur. Ve aralarından bir kâşif, önce kendini ikna etmeye çalışan bir ses ve yüz ifadesiyle "Ama, ama elektrik keşfedilmeyen bi çağda buzdolabı ne arasın yahu?" diyerekten asrın sırrını açıklar.

Velhâsılıkelâm evinizin ve ruhunuzun elektriği hiç kesilmesin efendim.

iyi ki doğdun mamudo gurban!

Bazen, milletcek sahip olduğumuz ruh hâlimize bakıp kahkahalarla ağlayasım geliyor... O kadar mukur olmuş bir felsefemiz, yirmi dört saat kullanılmaya hazır nöbetçi kanaatlerimiz var ki... Bu tarzımız ta içimize işlemiş. Birbirimizle kurduğumuz diyaloglardan tutun da, şarkılara kadar.

Elli beş ekrandan ve dışından gözlemlediğim kadarıyla, yabancıların gözleri hep çipil çipil, parlak, karnı tok sırtı pek, kendinden emin bakışlar yayarken, yurdum insanının gözleri, alışkanlık olmuş yorgun bir gülümseme eşliğinde "N'apalım be abi?!" bakışları yayar. Nasılsınız teyzecim ya da amcacım deyin hele bir, cevap aynen şu: "Sorma, n'olsun be evlâdım? Bildiğin gibi işte, hep aynı." Hep aynı olan nedir? Bildiğim nedir? Şair burada ne demek istemiştir?

Bildiğim bilmek istemediğimdir ya da bilir olmaktan hızla kaçtığımdır. Acıklı şeyler bunlar ya da bana öyle geliyor bilemiyorum artık.

Ama yabancılara bakın bir. Mesela "Nassın aga?" deyin. Ne dediğinizi anlamasa da (özellikle aga kısmını), ilk etapta bir hihoohaaa güler, ardından ölçümü 1000 olan bir "Wattt??" der. Kat'iyyen kötü bir şey demiş olabileceğinizi düşünmez. Hayattan daima iyi şeyler beklemiş ve bulmuş olan akılcığı menfi bir harekete ermez.

Güleç bir ifadeyle "Seni dana senii. Yaa ne güzel diy mi?" deseniz bile gülüşünüze derhâl eşlik edip "Yav bunun suratı gülüyor ama dedikleri ne ifade ediyor acaba? Bana bak Jennifer, bi yamuk olmasın, sakata gelmeyelim sakın?" diye aklından bile geçirmez. Mutlaka iyi bir şey demişsiniz gibi, siz gülersiniz o da güler. E güler tabi. Adamın hayatında duyduğu tek tereddüt acaba yemekte önce mantar filaminyon mu yesem, yoksa portakallı ördek mi? Ama bize öyle yapacaklar, yani gülerekten anlamadığımız bir şeyler diyecekler her ihtimale karşı "fururuz onlari". E biz de haklıyız. Çünkü bize ne olduysa hep gülerek oldu. Yüz ifadesiyle sözler arasındaki tezadı biz çoook iyi biliriz.

Sonra şarkıları yabancıların (halk dilinde adamların)... En ünlüsü "İyi ki doğduuun bilmem nee, iyi ki doğdun bilmem neee..." gibi hayatı hoş gelinecek bir yer olarak görmelerinden kaynaklanan sözlerle başlıyor ve bitiyor.

Bizimki ise "Madem dünyaya dargındın, Mamudo gurban niye doğdun?/ Dayımın öksüz yavrusu Mamudo gurban niye dogdun?/ Kurban gelir payın yoktur, haftan gelir ayın yoktur, Ankara'da dayın yoktur.../Mamudo gurban niye doğdun? /Söyle yavrum niye doğdun?" Yani şair burada "Yavrum, eğer öyle bir imkânın varsa sakın dünyaya gelme. Bak durum burada böyleyken böyle." demek istiyor.

Sonra diğerleri de var... Talihsizler, terk edildim, karadır şu bahtım kara, akşam oldu hüzünlendim ben yine... Yani ne şekilde isterseniz öyle kahrolun der gibiler. "Yaşasın yaşasın, seviyorum yaşasın!" gibi şarkılar da var ama onlar da hep numara.

Haa unutmadan bir de "yerli yabancı" adını verdiğimiz bir tür vardır. Bunlar, haritada sırf asortik olduğu için gidilen ya da gidildiğinde asortik olunabilen yerlere giderler. Maldiv adaları, St. Trope, Jamaika gibi veya her ne karın ağrısıysa işte.

Bu türdekiler, akıllarına geleni yerler. Gelmeyenleri de özel akla getiriciler tutup tekrar yemeye devam ederler. Zaman zaman uykusuzluk da çekerler tabii. Ama bunlar az önce bahsettiğim "N'olsun abi?" bakışlı insanlar gibi geçim sıkıntısından değil, tıka basa dolu olan midelerinin hazımsızlığından uyuyamazlar. Lâkin iki sodanın ardından o dertleri de mazi olur.

Bu şahsiyetlere "Nasılsın?" diye sorulduğunda, gözlerinden rastgele fırıldak bakışlar atarak ve tabii ki dalga geçerek "Sürünüyoz abii ya…" ya da "Biz daaa o konuya gelmedik." diyerekten omurilik soğancıklarının el verdiği ölçüde espri pırtlatırlar. Etraflarındaki vokal gurubu da kendilerince gülüş adını verdikleri bir takım sesler çıkartarak bu komik şeylere eşlik ederler. Bu sesler Discovery seslendirmelerinde rahatlıkla kullanılabilir.

Sahi ben bu türü neden yazdım ki şimdi? Harf israfıydı…

***

– Tevfik bak elin Avrupalısına? Senle aynı yaşta ama ne göbek ne kambur… Suratından kan damlıyo adamın. Sana bak, ona bak. Hem de nasıl gülüyo, ne neşeli. Sen gene kös kös…
– Güler tabii. Onun cebindeki yeşillikler bende olacak, sırf kahkahadan kaset bile çıkartırım be. Göbeği de kestirip estetikle boya eklettim miydi al sana sırım gibi delikanlı. Ahh ondaki para bende olacak var yaa, hususi gülme gurubu bile tutarım. Hatta yetmedi mii özel gıdıklayıcılar bile tuttarım. O da yetmedi miii…
– Ay sus Tevfik, sus. Ağlıycaam geliyo inan olsun.

**dikkat!!!
yardım...**

– İyi günler.
– ...
– İyi günler, dedim.
– ...?!
– Hanfendi bahis konusu kişi benim. Size iyi günler dileyerek aslında ne kadar iğrenç bi iş yaptığımı bakışlarınızdan anladım. Çoook çok özür diliyorum.
– Evet, ne var?
– Bu sorunun derinliğine inemedim bayan. Epey bir düşünüp daha sonra basını toplayıp

açıklama yapsam olur mu?! Şimdilik elimde bu evraklar var. İsterseniz önce onlardan başlayalım.

– Adınız?

– Sedat Efelek.

– Yaşınız?

– 24

– Doğum yeriniz?

– Rize.

– Emin misiniz? Hiç Laza benzemiyosunuz da...

– Ne yani, bu bir sorun mu şimdi?

– Yok da ne bileyim yani... Doğru bilgi çok önemli de o açıdan şey ettim. Doğum yeriniz sakın başka bi yer olmasın? Hımm?! Siz daha çok İzmirliye benziyosunuz.

– Ben aslında Yukarı Mezapotamyalıyım hanımefendi. Bilir misiniz oraları? Atalarım çok gezenti insanlarmış. Büyük, hatta büsbüyükbabam Pelekus, yavuklusu bir Laza gönül verip Rize'ye kaçınca aileyi toplayıp sevdasının peşinden Rize'ye gelip yerleşmiş... Yani hanımefendi hayret bi şeysiniz haa. Rizeliyim diyorum size. Bana durduk yere mitoloji attırmayın şimdi. Hatır için İzmirli olamam ya aaaa.

– Tamam canım bana ne... Baba adı?

– Keyfettin.

– Keyfettin mi?

– Ne oldu? Bu konuda da mı bir şüpheniz var bayan? Artık ne diyeyim siz daha iyi bilirsiniz tabii. Beğenmediyseniz yazın kafanıza göre bi şey.

– Ana adı?

– Aslında Meliha ama siz şimdi onu da beğenmezsiniz. Sizin için Cansu olsun.

– Evli misiniz?
– Hayır değilim.
– Karınızın ölüm belgesi lütfen!
– Hangi karımızın? Ölmesi için önce bir karımın olması gerekiyor di mi memure hanım? Ben hayatımın hiçbir günü evli olmadım ki. Evlenmeden öldürdünüz kadıncağızı.
– Demek bekârsınız.
– Sizce de bir sakıncası yoksa evet, bekârım.
– O zaman bekâr olduğunuza dair kâğıt lütfen.
– Ama benden daha önce hiç böyle bir kâğıt istenmedi ki.
– Sıradakiiii!
– Bi dakka bi dakka, ne demek sıradaki? Bundan sonraki sıra da benim. Bu sırayı kapattım, tamam mı memuraanım.
– Beyfendi o zaman bekâr kâğıdı getir.
– Ya benden daha önce Ren geyiği, Van kedisi, dinozor yumurtası, dağ keçisi, terliksi hayvan, sitoplâzmalı kek gibi makul istekleri olanlar oldu ama... Ölümcül çabalarla hazırlanıp, en son olarak da en tepedeki memur tarafından imzalanan evraklarda eksik bulunduğunu doğrusu daha önce hiç görmemiştim.
– Üzgünüm. Bekâr kâğıdı getirmeden evraklarınızı kayda geçiremiycim.
– Bu kadar üzülmeyin hanfendi. Evlerden ırak, verem falan olursunuz... Geçiremiycikmiş. E deminden beri takır takır roman yazdınız, onlar neydi peki?
– Beyfendi anlatamıyorum galiba.

– Evet, gerçekten anlatamıyosunuz bayan. Şimdi beni bir kâğıttan sınıfta mı bırakacaksınız ya? Ne yani belime bi ip takıp, sokaklarda yalın ayak su birikintilerinde zıp zıp zıplamamamı, afiyetle kafayı yememi mi istiyosunuz he? Tüm bu evrakları hazırlarken bu soru binlerce kez soruldu ve ben her defasında "Hayır." dedim. Size niye yalan şeediyim?

– Beyfendi benim inanıp inanmamam önemli değil ki. Devlet inanmalı.

– Devlet de inansın. Tamam, bir kere nişanlandım ama bozuldu. Bu konuda devlete noter tasdikli, imzalı yeminli, iki gözüm önüme aksınlı, ekmek çarpsınlı bir belge bile verebilirim.

– Muhtardan mühürlü bir bekârlık belgesi getiriyosuuuun...

– Hayır, getirsem n'olcak ki? Bu da sizi kesmez biliyorum. İsterseniz mühürlü bir muhtar getireyim ha, daha tatmin edici olur sizin için ne dersiniz? Çekinmeyin yani, dükkân sizin. Hem muhtar benden daha mı iyi bilecek bekâr olup olmadığımı canım. Ona nasıl ispatlıcam, şimdi onu düşünüyorum. Siz bana sorun, bana. Her şeyi ben yaşadım, ben biliyorum. Ben kendime şahidim ve kefilim memuraanım.

– Lütfen ama haa.

– Bakın hiç olmazsa bana yarına kadar inanın, olmaz mı? Muhtarı ikna ettikten sonra söz sizi de yarın ikna ederim. Rica ediyorum, doya doya ikna olmuşçasına şimdilik dosyama işleyin lütfen.

– Peki peki. Bugünün tarihini atarak dosyanızı açık bırakıyorum ama yarın lütfen belgeniz elimde olsun, tamam mı?

– Ahh size nasıl teşekkür edeceğimi bilemiyorum. Sağ olun var olun. Söz veriyorum yarın bekâr olduğuma ikna olacaksınız.

– Bir dakikaa bir dakikaa. Ahhaa! Sağ olduğunuza dair kâğıdınız eksik burada?!!

– Hınk!! Hanfendi burdayım ve hiç olmadığım kadar sağım üstelik. Sağ olduğumun anlaşılması için dııt dııt kalpgrafisi cihazıyla mı dolaşayım yani?

– Ben sağ olduğunuzu görüyorum karrdeşiim. Sağ olmasaydınız burda ne işiniz vardı, mezarda olurdunuz di mi?

– Ha haha ha, ilâhî memure hanım. İnanın, siz adamı ölmekten güldürürsünüz! Espri yaptınız sanırım. Söz veriyorum bi ara güler gibi yapıcam. O önünüzdeki kâğıtlar zaten ne derece sağ olduğumu yeterince kanıtlamıyor mu? Canlıyken bile bu kâğıtları hazırlamak bu kadar zorken, bu işi ölüyken nasıl yapabilirim? Bunu kendinize bir kez bile sordunuz mu hı, sordunuz mu?

– Ben sağ olduğunuzu görüyorum. Lâkin devlet görmüyor. Bunu ispatlamanız...

– Ne demek ispatlamamız? Bekârım, üstüne üstlük sağım da. Devlet bunu görsün artık. **Babamın anneannesinin kızlık soyadına kadar biliyor da, teee bebekliğimden kalma elektrik borcuna kadar biliyor da, neden benim yaşayan bir organizma olduğumu kabul etmiyor?.. Bakın, bana güvenin. Yazın oraya, bekâr ve de oldukça sağ diye, yazın yazın. Ben kendimi bilmem mi yaa, sağım ben yaa. İşte nabzım da atıyor bakın bakın, tık tık tıkk, duydunuz mu?**

– Beyfendi en önemli evraklarınız eksik. Kusura bakmayın ama işlem yapamiyciym.

– Ne en önemlisi eksik hanfendiii? O kâğıtlarda Çin başkonsolosunun imzası bile var be.

– Dalga geçiyosunuz galibaa.

– Eee memuranım, siz de bol bol malzeme veriyosunuz ama.

– Aaaa ama haaa. Biz her vatandaşla bu kadar uğraşırsak yani vay hâlimize...

– Uğraşmayın hanfendi. Keşke uğraşmasanız. Ben de o Çin Seddi kadar uzun kuyruğa en sonundan tekrar girmek zorunda kalmayayım. Girerken sekiz yaşındaydım. Bakın bakın ne kadar büyümüşüm... Lütfen yazın oraya, "Bekâr ve de acayip şekilde sağ, hatta hayatımda bu derece sağ bir insan görmedim." diye yazın olsun bitsin canım. Devletin size itimadı yok mu? A aaa! Ne ayıp! Cık cık cık...

– Kardeşim kafayı yiyorsun galiba. Benim ikna olmam önemli değil diyorum sana anlamıyor musun beni yaaa?

– Gözlerinizi öyle pörtletmeniz beni zerre kadar korkutmadı, bilmenizi isterim. Ayrıca bugün bu hayatî belgeleri edinemem, bilemi-yorum yani.

– Ama beyfendi bir tane olsa neyse canım. Sizin evraklarınız hep eksik baksanıza. Bakın mesela, sağlık formunuzda diş röntgeninizle ayakkabı numaranız yok. Ayrıca organlarınızı da bağışlamamışsınız. Aaa ne ayıp. Bir organ bir hayat, di mi ama?

– Şöyle yapsak nasıl olur, hanfendi? Ben o sağlık formundaki ayakkabı numarası yerine şööle ayağımla şiddetle bir basayım, diş röntgeni yerine de bir iki azı dişimi söküp vereyim. Organ bağışına gelince söz veriyorum bundan böyle kestiğim tırnakları dahi saklıycam. Ayrıca bütün sakatatlarımı da şimdi burdan bağışlıyorum. Oldu mu? Mutlu musunuz? Bakın, bu durum araştırma konusu olacak kadar komik. İnanın fena oluyorum. Bağışlayacağım organ sayım sayenizde gittikçe azalıyor.

– Ahaaaa! Bir dakikaa bir dakikaa. İşte buyrun! Nüfus suretinizdeki resim size hiç benzemiyor, neden??!

– Benzemez tabii. Benzese şaşardım. Ben bu kuyruğa girmeden önce çok güzel bir insandım. Size kendimi ispatlamaya çalışırken suretim dönmüştür.

❋❋❋

– İyi günler hanfendi. Ben dünkü bekâr ve de sağ olan kişiyim. Buyrun bu bekâr belgem, bu da sağ olduğuma dair kâğıt.

– Üzgünüm. Bekâra gıda yardımı yapılmıyor.

– Sevgili izleyiciler, sevgili konuklar. Bugünkü programımıza burda son verirken, yapımda ve yayında emeği geçen tüm arkadaşlara teşekkür edeeer, hepinize esenlikler dilerim. Gününüz dünden güzel olsuuun. Şimdi beraber ve solo şarkılar...

gene "gen" ...

Genetik ilminin babası sayılan J. G. Mendel, bahçesindeki bezelyelerin benzerliklerine bakıp, hık demiş burnundan düşmüşlüklerinden yola çıkarak, yine kendisi gibi papaz olan arkadaşına; "Yahu Antonyuscuğum, artık bu bezelyeleri yemeyelim. Bırakalım arkamızdan ağlasınlar. Biz bu dünyaya bezelye yemeye mi geldik canım? Ya yanına pilavla cacık icat edelim ya da bunlarla deneyler yapıp kalıtımla ilgili bulgular elde edelim he, ne dersin, uyar mı sana?" demiş ve çalışmaları için kolları sıvamıştır.

Bir rivayete göre de bu bilimsel çalışmalar şöyle başlamıştır. Mendel bir gece yarısı kilisedeki kötü ruhları kovmak için köşedeki yirmi dört saat açık olan kilise kantininden Şeltox almaya giderken, yolda bir kadının çocuğunu "Kör olmayasıca. Aynı babasına çekmiş." diyerek ite kaka eve götürdüğünü görmüş ve "Babaya çekim kanunu"nu bulmuştur. Hatta içinden "Çocuğu böyleyse kim bilir babası nasıldır?!" diye de geçirmiştir.

İşte bu kör olmayasıca çocuğun ve bezelyelerin ışığında, daha o zamanlar gen nedir ne değildir bilinmeden çok önce, kişisel özelliklerin bir şekilde nesilden nesile aktarılabileceğini öne sürmüştür. Doğru da sürmüştür. Pişman değildir. Neyse geçelim. Dersimiz fen bilgisi değil... Vazgeçtim. Biraz daha uzatalım. Bildiğimiz üzere her genin mutlak bir şifresi vardır. Çocuğun babasına nasıl çektiğini bulmak için bu şifreleri çözmek gerekmektedir.

Son yıllarda Avrupalı bilim adamları, gen şifrelerini çözdüklerini söyleyerek yüzlerce yıl daha yaşayabileceğimizi bildirip müjdelerini istediler. Bu şartlarda altmış yetmiş yıl zor dayandığımız hayat süremizin yüzlerce yıl daha uzayacağını öğrenince "Sahi yaşıycık mıyım doktor bey?" diyerek sevinçten ikili perendeler, üçlü saltolar atacağımızı düşündüler herhalde. Yarım çerçeveli garip gözlüklerinin üstünden "Sevinmediniz mi dünyalılar?" der gibi baktılar elli beş ekranlardan bizlere. Bizi de herhalde kendileri gibi bir elleri hisse senetlerinde, bir elleri gayrimenkullerde sanıyor olmalılar.

Ben şahsen hiç sevinmedim. Yahu bir ömür çalışmak zorunda olacağımızı bilmek bile ölümü özlemek için yeterli bir sebep değil mi? Ayrıca, bu kadar uzun bir ömürde zorunlu eğitimin seksen yıla çıkartıldığını, bir ömür TV dizilerini seyretmek zorunda kaldığımızı, durmadan doğum günü kutladığımızı, emeklilik yaşının yüz elli yıla yükseltildiğini, erkeklerin artık kayınvalidelerinden kurtulmalarının mümkün olmadığını, tam bir ömür AB'ye elma dersem gir, armut dersem girme teranelerini çektiğimizi, yüzyıllar boyunca elektrik, su, telefon faturalarıyla boğuşmamız gerektiğini, yüzyıllar boyu meclis kavgalarını seyredeceğimizi ve şimdi yaşlı liderlerin genç liderler kategorisine gireceğini bir düşünsenize...

Ayrıca hapşıran birini gördüğümüzde "Çok yaşa!" diyemeyeceğiz. Çünkü zaten çok yaşayacak. Yani bu temenninin hiçbir anlamı kalmayacak. Aman aman kalsın sayın bilim adamları. Oynamayın genlerimizle kardeşim. Bırakın bari onlar bize kalsın. Hayır, mahremiyet diye bişey var diy mi? Belki genimin şifresini bir ben bilmek istiyorum canım. Genim benimdir. Benim kalacaktır...

telef-on...

Bir telefon düşünün. Üzerinde rakamların yazılı olduğu tuşlar bulunan, üst kısmında karşıdaki sesi kulağınıza duyuran minik deliklerin bulunduğu, tepesinde bir miktar anten ve kullanmaya başladığınızda ışığı yanan bir ekranı olan, ebatları gömlek cebi ölçülerinde, çaldığında koştuğunuz, koşarken düştüğünüz ve evin evhamlı yaşlılarının bakış açısına göre "Ayy acı acı çaldı. Kim acaba, hayrolsun?" dediği normal bi cep telefonu.

Ama birazdan bahsedeceğim, bahsederken de kendi kendime deli gibi güleceğim cep telefonunu sakın bu az önceki tarife uygun olarak düşünmeyin. Bu telefon, aslında cep telefonu taklidi yapan ankesörlü bir sokak telefonu... Bu telefon bir.. bir.. bir... Bulamadım yaaa. Yani bu aleti tam olarak tarif edebilecek sıfatları bulamıyorum. Yalnız kesin olarak şunu söyleyim, biz ona cep telefonu yerine bavul telefonu diyebiliriz. Ya da hadi âdeti bozmayalım, bavul büyüklüğündeki bir cebe sığabilen bir seyyar telefon olsun.

Yaklaşık trafik polisi telsizi büyüklüğünde, üzerindekilere tuş demek tuşa hakaret olacağı için, rakamların yazılı olması gereken lâkin yazıları silinmiş çıkıntılar bulunan, artık herhangi bir numaraya basmanız gerektiğinde rakamların size malum olması gerekeceği ürkütücü bir alet. Hele de bir mesaj çekme gafletinde bulunun ve gününüzü görün. Harflerin yerini karıştırıp mesajı "Nurgül, öğleden sonra bana gelebilir misin?" yerine "Gülnur, sonradan öğle bana geberir misin?" şeklinde yollamanız mümkündür. Yani o mesajı çekerken sarf edeceğiniz eforla, mesajı yollayacağınız kişiye gidip bizzat söyleyin, emin olun daha az yorulursunuz.

Kapsama alanı oturma odasından mutfağa, haydi bilemediniz balkona kadar olan bir mesafeyi kapsar. Kendini o gün iyi hissediyorsa karşı apartmana, "Fahriye teyze, akşam annemler size gelecek. Müsait misiniz?" diyebilirsiniz. O da belki. Fakat apartmandaki kulak sahibi, bu sesi boğazına gazoz kapağı kaçmış birindenmiş gibi duyacağı için sizi telefon sapığı sanıp teklifinizi iplemeyerek "Kes sesini aptal!" diyecektir. Tabii ki bu telefondan siz arandığınızda da sesin size Belgin Doruk gibi gelmesi muhtemeldir. He, ayrıca ağzınızdan çıkan kelimeler karşı tarafa Körfez savaşında konuşmaları tercüme eden çevirmenin cümle kurumları gibi ee.. ee. e... Şeklinde rötarlı olarak gidebilir. Yani ses de yorum da bu dik kafalı telefonun ruh hâline bağlıdır.

Tepesinin sol üst köşesinde yaklaşık iki buçuk santim uzunluğunda bir anten vardır, ama o antenin öyle hanım hanımcık mazbut görünüşüne aldanmamak gerekir. Sahibinin tabirine göre telefonun "çekmesi" için bu antenin sonuna kadar çekilip açılması gerekmektedir. Fakat bu anten, tamamen açıldığında en büyük balıkçı oltası uzunluğunda olduğu için telefon yine de çekmese bile, bu dev anteni aradığınız kişiye doğru çevirip uzaktan dürterek "Hey seni arıyorum, baksana. Telefonunu aç." diyerek de irtibat kurabilirsiniz. Ayrıca bu işlemi yaparken ağzınızla "Lülülülü!" diye de ses çıkarabilirsiniz.

Hâlâ bu telefonla konuşulabileceğini sanan birisinin yaptığı hiçbir abuk hareket sabuk karşılanmayacaktır. "İlk telefon bu... İkinci Ramses'in cebi. Çeksin diye adam baz istasyonu niyetine piramit yapmış." veya "Neyle besliyosun sen bunu? Ne kadar da semirmiş." diyerekten sahibini köpürttüğüm bu telefonun bir de melodisi var. Ama bir adet... Zaten tek iyi yanı zil sesinin bir tane olması... Çünkü çıkardığı ses hava saldırısı sireni, kilise çanı, emziğini düşürmüş şımarık çocuk zırlaması, tırnak kesme sesi, düdüklü tencere tıslaması gibi seslerin karışımından oluşmuştur.

Ha onu da canı istediğinde çıkartır. İstemiyorsa sadece böğrüne sancı girmiş biri gibi "Ighhh!" diye inler.

Şarj aleti ayrı bir âlemdir. Kaldırıp fişe takmak için vücut geliştirmek gerekir. Telefonun, aman şarjım bitmesin gibi bir sıkıntısı yoktur. Şarj aletinin fişini elektrikten çektiğiniz anda şarj biter.

Neden bu telefona cep telefonu denmiştir anlamadım. Bal gibi de yer telefonu işte.

Grahambell'in bile gördüğünde gülmekten altına kaçıracağı bu telefonun eşkâlini, sahibinin "Sorarım ben sana!" gibisinden müşfik bakışları(!) altında tarif ettim. Satırlarıma son verirkene hepinize cebinize sığacak telefonlar dilerim. Şarjınız hiç bitmesin...

veda mektubu

Sen bunları okuduğunda, nasip olur da yol parasını denkleştirebilirsem çok uzaklarda oluciym Ekrem. Bana yüzüme karşı "Ben ünlü fabrikatör Şahap beyin tek oğluyum. Sense bir beslemesin. Kınalı olduğun yetmezmiş gibi bir de yapıncaksın. Zaten seni hiç sevmedim. Seninle maytap geçtim ben. Bakma öyle bön bön, ne var ne. İşte şimdi, ilk kez sadece burdan açıklıyorum. Şok! Şok! Şok! Flaş! Flaş! Flaş! Bir zamanlar o sokak senin, bu sokak benim şarkı söylüyormuşsun. Sen kim ben kim ha! Bundan sonra mutfakta hizmetçilerle beraber yiyeceksin. Haddini bil. N'ooldu, kurudun kaldın." diyerek foyamı meydana çıkardığında, artık ebediyen birlikte olamiyciymizi kat'i surette anladım. Ve sana talihsiz hikâyemi tüm hakikatiyle anlatıp hayatından çekip gidiyorum, Daha doğrusu önce çekip gidiyorum sonra anlatıyorum. Çünkü sen bunları ben çekip gittikten sonra okuyorsun ve dolayısıyla ben bunları sana şimdi anlatmış oluyorum. Yok yok, öyle olmuyor... Evet evet öyle oluyor... Öyle mi oluyordu yaa? Neyse...

Zavallı anneciğimi daha ben doğmadan üç yıl önce kaybetmiştim. Savaş yıllarıydı ve hiçbir şey tereyağından kıl çekmek kadar kolay olmuyordu. Kurşunlar her yerde pervasızca uçuşuyorlardı. Bu talihsiz kurşunlardan korunmak için, yağmur yağmadığı zamanlarda dahi şemsiyeyle dolaşmak zorunda kalıyordum. Hatta bir keresinde talihsiz bir kurşun, benim talihsiz ayağıma isabet etmişti. Saatlerce ağlamıştım. Çünkü ayağımdaki, rahmetli anneciğimin hediyesi olan en sevdiğim iskarpinlerimi mahf-ı perişan etmişti. Lâkin bu faciadan sonra kendimi salmadım ve bilakis kalan aklımı başıma devşirip ayakkabılarımı tamir ettirerek hepten bedbaht olmama mani oldum.

Hayata bağlanmıştım. Ve küçük kardeşim İrfan'ı okutabilmek için yollarda çiçek satıp şarkı söylemeye başladım. Gerçi küçük kardeşim İrfan ilerde polis olup ilk beni tutukladı ya neyse. Ama olsun. Mesai saatindeydi, o n'apsın.

Neyse ben talihsiz bir akşamda talihsiz bir şarkı söylerken beni bir gazinocular kralı keşfetti ve ülkesine götürdü. Bir assolisttim artık. Paraya para demiyordum. Gel gör ki parayla saadet olmuyormuş. Lâkin Saadettin oluyormuş. Patronum Saadettin bir gün beni evlenme vaadiyle kandırıp kendisine yemek ısmarlattı. Garson, hesabı getirdiğinde "Kendisi müstakbel nişanlım olur. Hesabı o ödeyecek. Hayat müşterek n'apalım." diyerek cüzdanımı boşalttığı yetmiyormuş gibi, bir de üstüne beleşe Kent sigarası da aldırarak beni cascavlak ortada bıraktı.

Beş parasızdım artık. Meteliğe kurşun dahi atamıyordum. Çünkü o kurşunu alacak kadar bile param yoktu. Resmen dımdızlaktım. Ve bir gün birlikte bir deniz kenarına gittik. Ve sahili görünce âdet olduğu üzere bilinçsizce birbirimize doğru koşmaya başladık. Ben kumların arasında sessizce duran bir caretta caretta'nın üzerine basarak bileğimi burktum ve boylu boyunca yere yayılıverdim. Kötü patronum Saadettin başıma gelerek belinden tabancasını çekti ve "Kurtarıcam seni." diyerek beni at gibi vurmaya kalkışınca bunun bir ilk yardım şekli olmadığını hissettim. Haklıydım da. Ve ona "Artık bitti." dedim. O da bana "Defol!" dedi. Ben de ona "Siz kovmuyorsunuz, ben istifa ediyorum." dedim. Ve eski işim olan çiçek satıp şarkı söyleme işine geri döndüm.

Ve yine bir akşamüstü zabıta gelip bana "Defol!" dedi. Ben de onlara "Siz kovmuyorsunuz, ben istifa ediyorum." dedim. Fakat bunu neden demiştim hiç bilmiyordum. İstifa edecek bir işim bile yoktu ki. Ben fakir fakat onurlu bir genç kızdım lâkin aynı zamanda unutkandım da. Ve neden istifa ettiğim muammasını çözmeye çalışırken şok geçirip sağır ve de dilsiz oldum.

Gecelerden bir gün yağmurlu bir geceydi. Bir elimde kâğıt, bir elimde kalem, yaza yaza şemsiyeci arıyordum ve bulduğumda hepsi kapışılmış, bir tek pazarcı şemsiyesi kalmıştı. Talihsizliğim bu olayda da yakamı bırakmamıştı. Ve ben de yağmurdan korunabilmek için mecburen o pazarcı şemsiyesini sırtladığım gibi yollarda dolaşmaya başladım. Gecenin karanlığında ve bardaktan boşanırcasına yağan yağmurun altında dolaşırken bir çekirdek kabuğuna basıp kaydım ve düşüp pazarcı şemsiyesinin altında kaldım.

Gözlerimi açtığımda ak saçlı, pembe yanaklı bir amca bana "Domates kaça evladım?" diye sordu. Saçı topuzlu ve yakasında broş olan bir kadın da adama doğru "Bırak şunu. Hem sağır hem dilsiz, mendebur." dedi. Ve ben bu aşağılayıcı ortamın şokundan "Hayıır! Değilim…" diye haykırdım. Kadın "Dilsiz mi?" diye sordu. Ben de "Hayır mendebur değilim." dedim. Ve bir süre daha ordan burdan muhabbet edince artık konuşabildiğimi fark ettim. Lâkin hafıza nanaydı. Geçmişime dair hiçbir şey hatırlamıyordum. O anda ince bıyıkların ve bol paça pantolonunla sen girdin içeri. "Kim bu namahrem?" diye tekrar haykırdım. Ve sen annene dönüp "Kim bu paspal şey kuzum? diye sordun. Ben de sana hatırlarsan "Defool!" demiştim. Tamam, kabul ediyorum güzeldim ve güzel olduğum kadar küstahtım da. Sense bana bakıp gülümsedin ve neden bilmem beni ünlü milyoner Naci Bey'in kızı sandın. Bense Naci Bey'in kızı olmadığımı bilmediğimden kendimi Naci Bey'in kızı zannettim.

Daha sonra sen feci geçmişimi öğrenip, makûs hikâyemi suratıma merhametsizce çarpınca birden hafızam yerine geldi ve işte çekip gidiyorum Ekrem. Hatta gittim. Başta da dediğim gibi sen bunları okurken ben at alabildiysem Üsküdar'ı çoktan geçmiş olacağım.

Her şey gönlünce olsun. Hoşçakal hayatımın anlamı..." gibi bir mektup bırakarak mı gideceğimi sandın he? Haydeee yürrüü anca gidersin. Seni resmen terk ediyorum be düdük makarnası. Bundan sona derdini avukatıma anlatırsın!!!

yaz'ı yazmak

"Yaz geldi." dedi annem. Ben anlamamazlıktan gelerek "Hani? Nereye geldi?" dedim. Çünkü annemin kurduğu bu cümle hemen ardından bir fiiliyat zincirini de beraberinde getirebilirdi. Şöyle ki; "Şükürler olsun yaz geldi. Güneş vurunca camlardaki bütün tozlar da piyasaya çıktı. Haydi, silelim kızım. Sonra da yaprak sararız."

Gözlerimi kısıp hayalimdeki olay mahallinde şöyle bir dolaştıktan sonra, akıbetimin hayrı için, "Bir dışarı çıkayım bakayım, yaz gelmiş ama nasıl gelmiş? Yorgun mu, anlatacak şeyleri var mı?"

açısından, yüzüme annemin güya gizli niyetini anlamadığım ifadesini takaraktan yavaşça kapıdan dışarı süzüldüm. Bahçeye çıktım ve beyaz plastik sandalyelerden birini çekip yazı seyretmeye başladım.

Sıcaktan şakımaya üşenip, rajon icabı sırf ötmüş olmak için, Türkçe olarak sadece "Cik cik cik…" diyen kuşlar, bahçede sıcaktan içine fenalık gelmiş ve "açmıyorum abi. Bu sıcakta hiç uğraşamam inan olsun" gibi duran çiçekler, "yav ben bu gün bir yere konamıcam galiba, kızaracam" tereddütüyle uçan arılar, mavi bir gök, uzakta görüntüleri sıcaktan dalgalanan insanlar ve zihnimde bir okyanus kıyısında bir bardak buzlar gibi su içme hayali. Hayali diyorum çünkü bu bademciklerimle o buz gibi suyun ancak hayalini kurabilirim.

İnsanların adımları sıklaşmış, teyzeler yarı bellerine kadar balkonlardan sarkmış, sevap varmışçasına pata küte halı silkeliyorlardı. Evvett, işte Şefika Teyze de sahneye çıktı. Elindeki bir kova suyu balkondan sokağın ortasına fooooşşş! Ohh şükürler olsun. Sunî de olsa Fabuloso'lu bir toprak kokumuz var. Daha ne isteyeydim.

On altı yaşlarında gösteren ama tahminime göre 16 yıl, 8 ay, 3 gün ve 4,5 saat yaşında olan zincirli pantolonlu bir genç, ayakları poposuna vuraraktan, ışık hızıyla yoldan geçti. Daha doğrusu uçtu. Ya evden kaçıyor ya da eve kaçıyordu. Artık o kadarını da bilemiyorum. Hemen ardından, omzuna astığı sopaların ucuna taktığı tepsilerle "Yoğurtçiyaaa!" diye bağıraraktan bir yoğurtçu amca geçti diyemicem. Çünkü geçmedi. Bu sadece, gördüğüm yaz manzarasına hayal gücümün ufak, nostaljik bir ilâvesiydi. Hem zaten o yoğurtçu, yoğurtlarını minik kutulara paketleyip Petit-Danone'ci olmuş, sütünü yoğurt yaptığı inek de on numaralı Ayraniç olup ünlü bir futbol klübüne transfer olmuştu.

Bir elektrik memuru kapılara, "Ne yapıyosunuz siz be? İçiyonuz mu bu elektriği, bu nee?" konulu, küçük kâğıtlara yazılmış büyük tartışmalar sıkıştırıyordu. Hadi aboneler faturalarının acısını aslında haksızlık olduğunu bilseler de "E gücümüz bu kadarına yetiyo, n'apalım?" felsefesiyle memura söylenerek çıkarıyorlardı. İyi de aga, bu memurlar da bir yerde aboneydi ve onların da evinde lambaları yanıyordu.

Acaba faturalarını kendi kapılarına kendileri bırakıp, ardından "Vay be. Bu kadar olmaz be. İnsanlığım ölmüş benim be. Yazıklar olsun bana. Hiç mi merhametim yok benim? İnsan kendine bu kadar fatura bırakır mı be?" gibisinden kendilerine mi söyleniyorlardı? Acılarını kendinlerinden çıkartıyorlarsa kendileri kimdi? Bu mevzuya ileri derecede dalmış olacağım ki bir ara kendimi elektrik faturalarıyla, tapınaklarına blok taş taşıyan İnkaların bağlantısını kuramaya çalışırken yakaladım. Hatta o esnada Belgin Doruk, köşedeki sokak lambasına kapanmış hıçkıra hıçkıra ağlıyor, Cüneyt Arkın ise, kolunda Casio marka saatiyle ve tepesinden Türk Hava Yolları'na ait bir uçak geçerken, çağlardan ortada, vakitlerden öğlende Bizans surlarına tırmanıyor, gızgın gumlardan

serin sulara atlar gibin ordan oraya sıçrıyordu.
Ve başıma enikonu güneş geçiyordu.

Normale dönmek için derhâl gözlerimi kapaklarıyla örtüp, zihnimi faturalardan uzaklaştırmaya çalıştım. İnkalar, taşıdıkları taşları yere koyup, "Bırrakk abi yaa, hayat mı bu bizimkisi? Taşı babam taşı. Keşke bir toplu konuta yazılsaydık. Hiç olmazsa böyle anamız ağlamazdı." diyerek tapınak yapmaktan vazgeçip evlerine soğuk bir ayran içmeye gittiler. Belgin Doruk Selpak reklâmlarına çıktı. Cüneyt Arkın da Casio saatini Bizans kralına başlık parası olarak verip kızını kaptı. Sonra da bana dönüp "Casio. Her eve lâzım." dedi.

Güzeldi be etraf. Neden bilmem birden içim sevinmişti. Tepemde eceline susamış bir şekilde uçan arıya bile, "Eceline susama, git suya susa." diyesim gelmişti. Öyle de bir merhamet hissi şeetmiştim. Çiçekler bile bana gülümseyerek "E hadi açalım bari…" der gibi bakmaya başlamışlardı sanki.

Mutlu muydum ne? Madem zihnimde yazın bedeni hazırdı, ben de ona yazlık entarilerini giydiriverdim. Tam oturdu üstüne. Yüreğimde yer tuttu. Evet evet mutluydum. Yalnız bu fokur fokur kaynayan havada neden bu kadar mutlulaşmıştım ben şimdi? Eskilerin tabiriyle yoksa gözüme bir görünür mü vardı? O esnada annem camdan "Kızım başına güneş geçecek. Fazla oturma istersen." diye seslendi ve gümmmm!.. Küüüütt, çilinkkk, çtonkkk... Aghghhghh!.. Gittti... Her şey bitti... Kör oldum... Yaz nereye gitti? Ben neyim? Orası kim?... Güneş insanın başına bu kadar gürültülü mü geçiyordu, yoksa başıma geçen başka bir şey miydi? Hepsi reklâmlardan sonra... Az sonraaa!

   a- Mine Sota'nın başına geçen güneş miydi? Yoksa katil, uşak mıydı?

   b- Özgür kız, hazır kart kontörlerini manitasıyla yediği için, babasının hışmından dolayı mı bu kadar çok kaçıyor ve başı belâdan kurtulmuyordu?

   c- Mine Sota yaşiycik miydi, doktor bey?

   d- Yoksa sırf d- şıkkı da kusur kalmasın diye bu cümleyi de mi yazacaktı?

Neyse, anlatımımıza biraz helecan katmak amaciynen böyle şıklı mıklı kısa bir arayla bölüp olayımızı kaldığımız yerden anlatmaya devam edelim.

Beynim mi sarsıldı acaba? diye düşünüp hasar tespiti yapacaktım ama beynimin yerini hatırlamıyordum ki. Nereye düşüyordu bulamıyordum. İçimde, seçim otobüsüne binip halkı selamlamak gibi bir his vardı. Hayır, bari gözlerim göreydi.

En azından tepemde uçuşan yıldızlara bakıp yönümü tayin edebilirdim. Hiçbir şey göremiyordum. Bir süre sonra yavaş yavaş şafak sökmeye başladı. Önce siyah beyaz ışıklar seçmeye başladım. Eee, haliyle daha yeni yayına başlamıştık ve renkli görüntü pahalı olduğu için gözlerimin bunu karşılayacak ekonomik gücü yoktu. Sonra gri beyaz... Yok yok beyaz gri... Hayır hayır, koyu kül rengi üzerine açık kül rengi benekler ve çevresine ara ara serpiştirilmiş beyaz noktalı bir görüntü belirmeye başlamıştı. Görüntü gittikçe somutlaşıyor fakat somutlaştıkça da soyutlaşıyordu. Çok ayaklıgillerden bir tür olmalıydı bu.

Koca kafalı, saçaklı mı saçaklı bir şeydi işte. Bir zamanlar gazete ve dergilerde gördüğümüz Aids mikrobunun milyon kere milyon büyütülmüş hâline benziyordu. Bir de "Hiohahahahiohağ!" gibi bir ses çıkartıyordu. Bütün Türk filmlerindeki kötü adam kahkahalarını toplasanız anca bununki kadar korkunç ve ürkütücü olabilirdi. Ben, ufukta kara görmeye çalışan tayfalar gibi gözlerimi kısarak olanca retinam ve irisimle bu görüntüyü seçmeye çalışırken, kendisi gittikçe netleşiyor, netleştikçe de bedleşiyordu. Vee netleşti, netleştiii, netleştiii. İşte karşımdaydı.

"Aploaaaa, topulim miiii?"

Hı?? Neyce konuşuyordu bu? Manzara sahibi, bir adet çocuktu. Daha doğrusu kendi türünün yavrusuydu. Mavi gözlüydü. Sapsarı saçları kaşlarına kadar dümdüz uzamış, yanlardan kulaklarına kadar inip, üzerlerinden havaya kalkmış, tepesinden de bir tutam yolunmuş gibiydi. Saçlarını ya annesi öyle taramış. Ki sanmıyorum, çünkü hiçbir anne çocuğuna karşı bu kadar merhametsiz olamaz. Ya da çocuk daha önce keşfedilemeyen ünlü bir şarkıcı mıdır, bir bilim adamı mıdır nedir öyle birine özenmişti. Üzerinde, yakası sanırım çekeleşirken yırtılmış garip resimli penye bir tişört, altında bol, ama en az birkaç kişi kapasiteli epey bol bir şort vardı. Şortunu neredeyse gırtlağına kadar çekmiş, belindeki uçkurunu da öyle bir sıkmıştı ki, karşımda tam ortasından sıkılmış bir adet diş macunu duruyordu sanki.

Ayağında, hakikaten ayakkabı kelimesine yalın olarak uyan, sadece ayağının kabı olarak giydiği ve

ayakkabılıktan çoktan istifa etmiş, bütün bağcıkları açık bir çift spor ayakkabı vardı. Çoraplarının biri yukarda biri aşağıda ve bol çamurluydu. Bu havada çamuru da nerden bulmuştu bu çocuk?!
"Aploaaaa, tooaaap!" dedi. "Oğlum n'aptın yaa? Dikkat etsene biraz, kafamı patlattın." dedim. "Kofaaa pattadıı, ohahaha hahoytt!" dedi. O ne? Ahir ömrümde böyle ses çıkartabilen birini daha önce hiç görmemiştim. Böyle nasıl desem, böyleee. Böyle bir şeyin tarifi yok ki bende yahu. "Aploaa, tam çaktım peşikten. Ahan da getti tam gafadan küüüüüüt, uhahaa!"

Ne diyordu? Konuşmayı nerden öğrenmişti böyle? Sakın, Apaçilerin sonuncusu olmayaydı bu çocuk? Cümle kurmayı öğrendiği çevrenin nasıl konuştuğunu merak ettim. "Adi laynn. Yimee gelin loooo!!" "Hişuuu! Uzat la duzu." "Ğaydin zofraya höyyyyt! Eşşek mi angırıyo la burda?" türünden olmalıydı ki, bu çocukta da böyle yepis yeni, gıcır gıcır, tanımlanamayan bir lisan türemişti. Eee, haliyle çocuğun böyle bir dil heyelanında Osmanlıca konuşması beklenemezdi herhalde. "Korkarım ki top, talihsiz bir biçimde sizin kafanıza isabet etti. Bu hâlden bir hayli muzdaribim.

Kifayetsiz bir teessür duydum. Rica ediyorum özürlerimi kabul buyurunuz aploaaa." Ha bir de "aploa" demesi var. Orjinal ötesi bir hitap.

"Geç al topunu. Bir daha da buraya gelmesin tamam mı? Bak inan ayarımı bozdun." dedim. "Makena mısın sen aploaa, ne ayarı? Taaam aploa." dedi ve ardından "Uhahaha hihahiytt!" diye bir gülmek koparttı. Ve hemen akabinde, günde bir karton sigara içiyormuş gibi yedi nokta sekiz şiddetinde bir öksürük krizine tutuldu.

Krizi geçince tuhaf bir ağız hareketiyle, "Şlappss!" gibi bir ses çıkartarak inanılmaz bir mesafe uzağa tükürdü. Sonra da kollarını havaya kaldırıp "Yuhahaha, helallll!" diye bağırdı. Bunu yapabilmek için yıllarca çalışmış olmalıydı ve gerçekten çok da başarılıydı.

Kafamdan sekip, annemin top atan çocuklardan korka korka diktiği hercai menekşelerini böcürttükten sonra, bahçeyi suladığımız süzgeçli tenekenin içine inanılmaz bir isabetle giren topu, kendi lisanınca bir şeyler diye diye gitti aldı.

Ve kapının önünde topa olanca gücüyle bir tekme attıktan sonra ölümüne koşmaya başladı. Ben de kafama topumu yediğime göre bari artık içeri gireyim deyip ayağa kalktım. Üstelik yaprak sarmamak için misler gibi de bir bahanem vardı artık. Hem içeri giriyor hem de bu olayı hikâye edersem acaba sonunu nasıl bağlarım diye düşünüyordum ki, bir de baktım hikâye bitmiş. Onlar ermiş muradına, biz çıkalım kapının önüne…

"çünkü insana en çok kitap yakışıyor! ve mürekkebin kuruduğu yerde kan akıyor..."

- mini katalog -

carpe diem
carpediemkitap.com

ÖMER SEVİNÇGÜL

BİR GİZLİ HAZİNE İDİM...

KISAS-I ENBİYA

carpe diem!
TILSIMLI HİKÂYELER DİZİSİ

    bunlar eski diyarların haberleridir. hepsi 'mühürlenmiş bir kitap'ta saklanıyor.
    karanlıkları delen yıldız, yeryüzünü kaplayan tufan, tapınak yapan cinler ve saba melikesi belkıs...
    beşiğinde konuşan bebek, diriltilen ölüler, mektup taşıyan hüdhüd kuşu ve insan suretinde melekler...
    yarılıp yol veren deniz, etkisi bir ömür süren rüyalar, maharetli sihirbazlar, zülkarneyn, yecüc ve mecüc...
    kaderin sırlarını bilen adam, balığın karnında yolculuk, benzeri söylenemeyen sözler ve cennetteki prolog...
    görkemli sütunlar sahibi irem şehri, kayaları yontan semud, ehramlara gömülü firavunlar, dumansız ateşten yaratılan mahlûklar, üç yüz dokuz yıl süren uyku, mucizeler ve nice akıl almaz olaylar...
    bu kitapta hayal gücüne meydan okuyan gerçekler var!

bu kitap masal diyene masaldır, kendini "gerçek"leştirmek isteyene gerçek…

bu kitap öykü öykü hayattır, ki bu öyküler aklı diri tutar, yüreği sıcak…

ümit edilir ki, bu kitabı okuyan kişi beğenip sevdiklerine de okutsun…

ümit edilir ki, hakikati arayan kişi bu kitapta kendini bulsun…

…

büyük bilge mevlana'nın hayattan süzüp mesnevi'sine aldığı, insanlık tarihinde hiçbir zaman eskimeyen, yüzyıllardır her çağda okuyanların yaşamlarına yön veren bilgelik öykülerini edebiyatımızın önemli isimlerinden metin celâl derledi.

bunlar, kimine göre şark masalları, kimine göre gerçek hayat hikâyeleri…

evet, hakikat bir gizli sırdır. söyle, sır tutabilir misin?

Bilginç Kitaplar

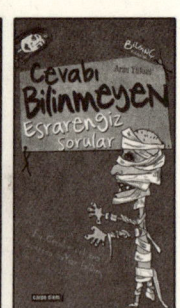

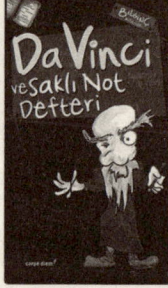

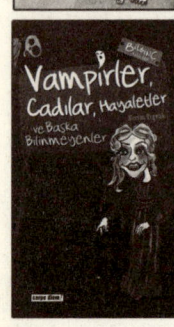

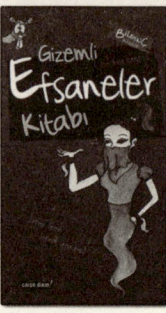

- Kâşifler ve Keşif Maceraları
- Mucitler ve İcat Öyküleri
- Bi'şey Sorabilir miyim?
- Cevabı Bilinmeyen Esrarengiz Sorular
- Kayıp ve Geçmişin Sırları
- Da Vinci ve Saklı Not Defteri
- İlkler ve Enteresan Hikâyeleri
- Her Bi'şeyin İlginç ve Kısa Tarihi
- Vampirler, Cadılar, Hayaletler ve Başka Bilinmeyenler
- Gizemli Efsaneler Kitabı
- Galiba Hiçbirimiz Bu Dünyadan Sağ Çıkamıycaz!
- Gizemli Sayılar Kitabı

Şu ana kadar merak ettiğiniz tüm gizemli mevzuların sırrı, bu kitaplarda saklı. Bırakın, aklınızın kapıları gıcırdayarak ardına kadar açılsın. Nihahaha!!..

Bir Âlemsin!

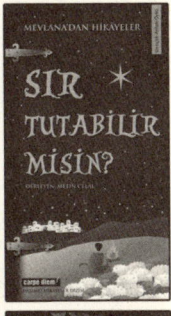

ÖMER SEVİNÇGÜL — SENİ SEVEN "BİR"İ VAR!	**ÖMER SEVİNÇGÜL** — SANA YENİ BİR DÜNYA GEREK!	**ÖMER SEVİNÇGÜL** — SONSUZ HAYAT SENİ BEKLİYOR!	**ÖMER SEVİNÇGÜL** — SENİ SANA BIRAKAMAZDIM!
ÖMER SEVİNÇGÜL — HER ŞEY ÂNINI BEKLER!	**ÖMER SEVİNÇGÜL** — HAYAT SEVİNCE GÜZEL	**EVELYN ELSAESSER VALARINO** — KONUŞ BENİMLE ANGEL	**MEVLANA'DAN HİKÂYELER** — SIR TUTABİLİR MİSİN?
PAYAL DHAR — Maya: sonsuzlukta bir gölge	**PAYAL DHAR** — Maya 2: kaosun anahtarı	**PAYAL DHAR** — Maya: kehanetin sonu	**ÖMER SEVİNÇGÜL** — Mervin "Beni Ararsan, Bulursun"
Sınır Tanımaz Gezginin Günlüğü	**ÖMER SEVİNÇGÜL** — BİR GİZLİ HAZİNE İDİM...	**ÖMER SEVİNÇGÜL** — beni yalnız sen anlarsın	**ÖMER SEVİNÇGÜL** — yazar olmak istiyorum

Ciddi Ciddi Komik Kitaplar

SİZ ADAMI ÖLMEKTEN GÜLDÜRÜRSÜNÜZ — Mine Sota

HEPİMUS İNSANUS — Mine Sota

GÜLME BAŞINA GELİR KOMŞUNA — Mine Sota

DÜŞ MACUNU — Mine Sota

Bi'şey söylicem ama gülmek yok — Mine Sota

BEN ADAMI TİPİNDEN TANIRIM — Dulya Taşçevirir

DÜŞÜNÜYORUM ÖYLEYSE ALIRIM

Zonk! — Mine Sota

Ne Haliniz Varsa Gülün — Mine Sota

Siz de "Zeytinyağlı yiyemem amman, basma da fistan giyemem amman" diyenlerdenseniz bu kitaplar seçiciliğinize fena halde hitap edecek!

Bu kitapları, ünlü Türk düşünürü Sibel Can'ın da dediği gibi "Senin sevdiğin hırkamı giydim, senin aldığın kitabı okudum" aşkı ve sadakatiyle okuyun, dünyaya bakışınız değişsin. Otursun dünya size baksın. Oh olsun!

Bal Gibi Kitaplar

- Bu kitabı yalnız **erkekler** okusun
- Bu kitabı yalnız **kızlar** okusun
- Durdurun **dünyayı** inecek var
- Kendine bir **iyilik** yap
- Bu **aşkın** gülen yüzü
- Bu da **aşkın** öteki yüzü
- Sence ben **güzel** miyim?
- Sence ben **yakışıklı** mıyım?
- Size **katılıyorum** ama gülmekten
- Okuduğum en güzel kitapsın **annem**
- Güzel güzel **konuşmak** istiyorum
- Hey **on beşli** on beşli!

Düşündüren, eğlendiren, didikleyen, gıdıklayan, gülümseten hayat gibi, fıstık gibi, bal gibi kitaplar...

Ruha Dokunanlar

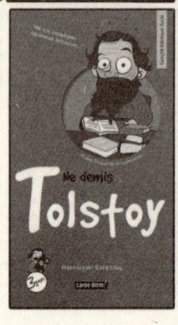

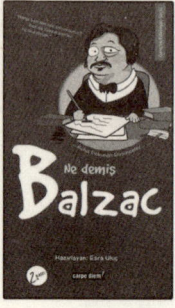

- Ne demiş Dostoyevski
- Ne demiş Goethe
- Ne demiş Shakespeare
- Ne demiş Victor Hugo
- Ne demiş Yunus Emre
- Ne demiş Kafka
- Ne demiş Albert Camus
- Ne demiş Mevlana
- Ne demiş Tolstoy
- Ne demiş Balzac

Okumaya doymayanlar...
Lakin fazla vakti olmayanlar...
Bu kitaplar size!

Onları herkes tanıyor...
Kitaplarıyla dünyayı sallamış ünlü yazarlar, ilginç hayat öyküleri, anlamlı sözleri, mektupları, kitaplarından çarpıcı bölümler, sevimli karikatürleri ve ruha dokunan düşünceleri ile bu dizide...

Kolay, Kısa, Keyifli Kitaplar

Felsefe — Ömer Sevinçgül
Bilim — Özgür M. Can
Edebiyat
Psikoloji — Fulya Gökçüven

Derste, işte ya da arkadaş meclislerinde bir genel kültür sorusu sorulduğunda, "Soruyu tekrar alabilir miyim, biz daha o konuya gelmedik." gibi bahaneler bulmaya ARTIK SON!!!

Bu kitapları okuduktan sonra, felsefeyle, bilimle, edebiyatla ve psikolojiyle ilgili pek çok mevzuyu kolaylıkla anlayabilecek, hatta gerektiğinde tıkır tıkır anlatabileceksin.

Nasıl ama...

carpe diem kitapların şimdi ingilizceleri de var!

ADI YOK
gençlik edebiyat dergisi

Yazılarını gönder,
 Adı Yok yazgın olsun.
Çizimlerini gönder,
 Adı Yok çizgin olsun.
Hadi katıl aramıza,
 Adı Yok dergin olsun!

bi'lira

www.adiyok.com

Kitabı,
son sayfasından okumaya
başlayan okura not:

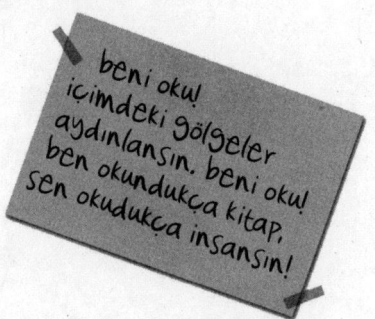

> beni oku!
> içimdeki gölgeler
> aydınlansın, beni oku!
> ben okundukça kitap,
> sen okudukça insansın!